365日ブッ通しでパフォーマンスが神がかる

ヤバい集中力ノート

（集中力：しゅうちゅうりょく）

□ *everytime*

□ *everyday*

□ *everyweek*

□ *everymonth*

AWESOME FOCUS NOTEBOOK

YU SUZUKI

鈴木 祐

『ヤバい集中力ノート』へようこそ

WELCOME TO AWESOME FOCUS NOTEBOOK

- 「締め切りが近いのに、だらだらと仕事を先延ばししてしまう……」
- 「勉強をしようと思ったらゲームで遊んでしまった……」
- 「やる気になったと思った5分後にはネットを見続けていた……」

こんな悩み、ありませんか？　そして諦めてはいませんか？
実は近年の科学研究では、この「頭ではわかっているのに集中できない」という人類普遍のもどかしさを解決し、生産性を向上させるための対策を解明しつつあります。

本書では、あなたの集中力を劇的に向上させるために、すでに科学的に効果があきらかになっている対策をひとつの書き込み式のノートとしてまとめました。これに書き込んでいくだけで、あなたの集中力は激増するはずです。
このノートで採用したテクニックは、1970年代からの研究で生まれた大量の対策から特に効果が大きいものを厳選したものです。**いわば科学が認めた集中力アップテクニックの「オールスター」です。**
実際に私は、本書に使用した科学的なテクニックを実践することで、1日に平均で15本の論文と3冊の本を読むと同時に、2万〜4万字の原稿を毎日のように生産し続けることができています。

アメリカの認知心理学者、ハーバート・サイモンはこう指摘しました。
「情報量が激増する社会では人間の集中力こそがもっとも重要な資産になる」
日々の暮らしで接するデータの数が増えるほど私たちの集中力も削られていきます。そんな社会のなかでは、金でも権威でもなく、集中力を備えた者こそが最大の資産家と呼べるのです。
本書の内容を実践すれば、あなたは内なる本能のパワーを我が物にし、現代でもっとも重要な資産を手に入れることになるでしょう。

本書の画期的メカニズム「報酬感覚プランニング」

人間の集中力を向上させる大きな要素のひとつに、「報酬」が挙げられます。

世の中に、〝ごほうび〟が嫌いな人間は少ないでしょう。昇進で給料が上がったり、人事評価で良い言葉をもらったり、趣味のイベントで賞を受けたりと、自分の行動が報われるのはなんでもうれしいものです。

報酬があるから、人は努力できる。集中できる。これは間違いありません。

しかし……世の中には誘惑が多いもの。努力抜きに手っ取り早く「報酬」を演出するさまざまなテクノロジーが発達しています。スマホを開けば数秒で報酬にありつける、そんな現代の環境があなたの集中力を奪っています。

その最たる例がスマホゲームでしょう。のめり込む人が後を絶たないのは、「報酬の出し方」がうまいからに他なりません。プレイヤーに「あと少しで倒せそうだった！」「もう少しですごいキャラが手に入るのでは？」と思わせることで、モチベーションを激しくアップさせます。

これは原始時代までに形づくられた、強力な「本能」に由来します。「報酬の予感」に対してこそ、本能は最大のパワーを発揮するのです。

思わず没頭してしまうゲームの仕組みを逆手に取り、仕事や勉強に活かすことで、勝手に圧倒的なはかどりを生むためにはどうすればいいのか？

このような発想から、数千の科学的研究から効果量の高い対策を抽出し、それを書き込み式のフォーマットとして落とし込んだのが、次ページから紹介する**「報酬感覚プランニング」**であり、このノートの骨子となっています。

①役に立つ「報酬の予感」を増やす
②役に立たない「報酬の予感」を減らす

あなたが決めたゴールの達成に役立たない報酬はできるだけ遠ざけ、目標に近づける報酬だけを取り込む。当たり前といえば当たり前ですが、この２つを愚直にこなすのが成功への道なのです。

マンスリーページの使い方

❶ 年・月を書き込もう！

❷ 「報酬感覚プランニング」で、ぼんやりした夢や目標を毎日のタスクまで分解しよう！

Monthly Schedule

20XX 年　3 月

1. ターゲット

どうしても集中力が続かない作業のなかから、自分にとって最も重要なことを選んで書き込んでください。

TOEIC に向けた英語の勉強

2. 重要度チェック

上記の目標を達成しなければならない理由のうち、最も大事なものをひとつだけ選んで書き込んでください。

2 年後、ニューヨーク支社に移って
活躍したいから

3. 具象イメージング

1 で選んだ目標を、より具体的に、頭の中で映像を浮かべやすい内容に変えてください。

TOEIC を受け終わって過去最高に
手応えアリ！
サイコーの気分で焼肉に行く！

4. リバースプランニング

1 で選んだ目標を「達成した未来」からさかのぼる形で、いくつかの短期目標を決めてください。

- 5 月の TOEIC で 700 点クリア
- 4 月 30 日に「公式問題集」で 700 点クリア
- 4 月 23 日までに「全パート完全攻略」を 1 周しておく
- 4 月 15 日までに単語帳をマスターしておく
- 3 月 27 日に「FRIENDS」を字幕なしで観終わる

5. デイリータスク設定

4 で決めた短期目標のなかから、もっとも締め切りが近いものを選び、それを達成するために毎日やるべきタスクを書き込んでください。

- 英単語 100 問復習
- 「全パート完全攻略」を 10 ページやる
- 通勤中、字幕なしで「FRIENDS」を 1 話見る
- 英語ニュースを 5 分でチェックし感想をツイート
- 「模擬問題集」を 1 パートやる

月 MONDAY	火 TUESDAY
【ルーティンチェック】	クリアしたら塗りつぶして
6	7
13 Aチーム キックオフ MTG	14
20	21 人事面談
27 「FRIENDS」 シーズン 3 制覇	28

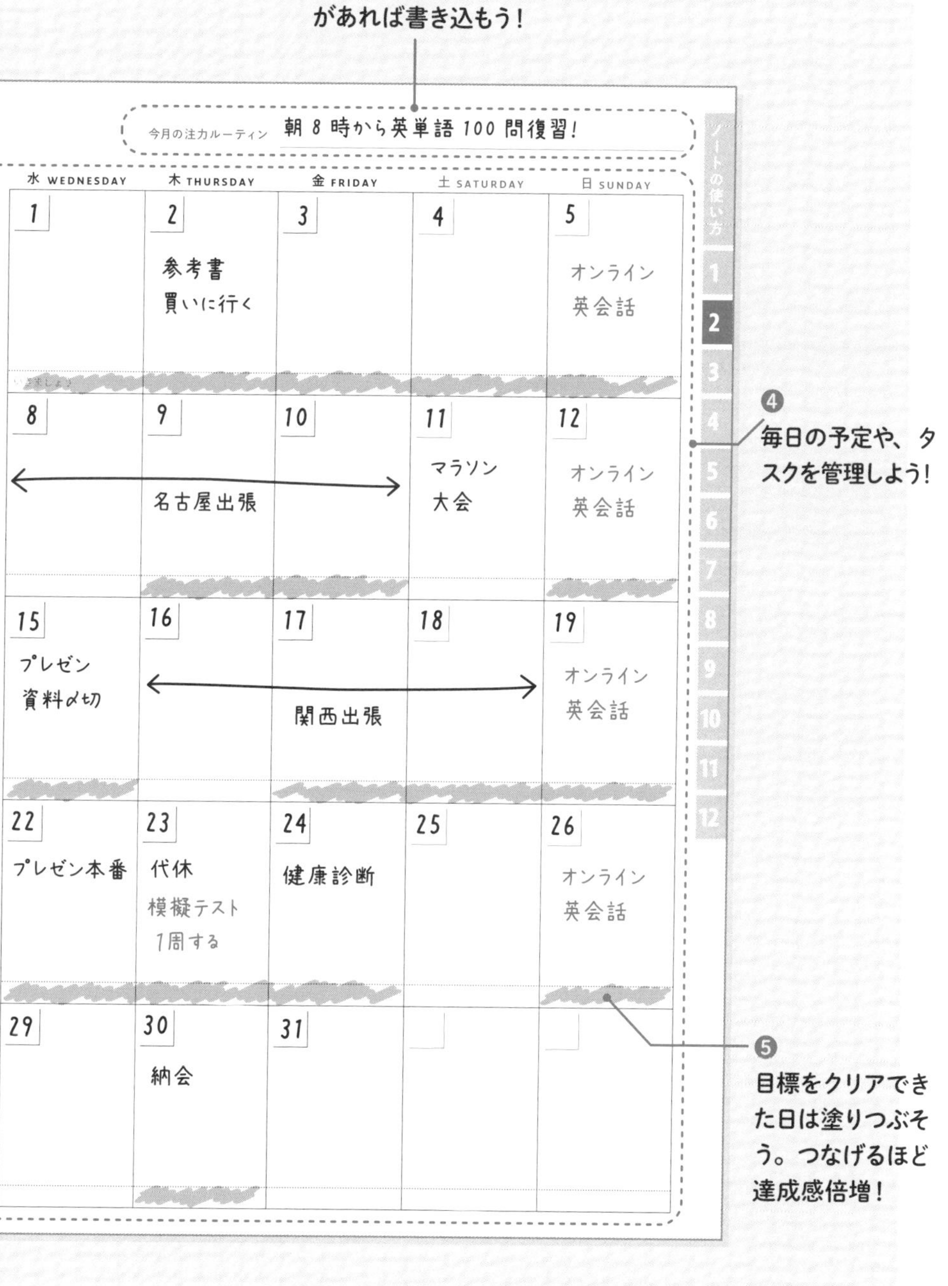
❸ 特に力を入れたいタスク
があれば書き込もう！
今月の注力ルーティン
朝8時から英単語100問復習！
水 WEDNESDAY
木 THURSDAY
金 FRIDAY
土 SATURDAY
日 SUNDAY
1
2
参考書
買いに行く
3
4
5
オンライン
英会話
8
9
10
名古屋出張
11
マラソン
大会
12
オンライン
英会話
15
プレゼン
資料〆切
16
17
関西出張
18
19
オンライン
英会話
22
プレゼン本番
23
代休
模擬テスト
1周する
24
健康診断
25
26
オンライン
英会話
29
30
納会
31
ノートの使い方
1
2
3
4
5
6
7
8
9
10
11
12
❹
毎日の予定や、タスクを管理しよう！
❺
目標をクリアできた日は塗りつぶそう。つなげるほど達成感倍増！

マンスリーページの使い方

各項目の記入法と、それぞれの科学的な根拠をご説明しましょう。

月に１回書き込むマンスリーページでは、集中力が出ないタスクの意味や価値観をあらためて確認したうえで、毎日行うべきタスクを絞り込んでいきます。

❶ ターゲット

どうしても集中力が続かない作業のなかから、自分にとってもっとも重要なものを選んで書き込みます。「企画書の作成」のような仕事のタスクはもちろん、「もっと運動をする」や「食事の改善」のような日常の目標でも構いません。

すぐに気がそれてしまう……。理由はわからないが放置している……。なんだか取りかかる気が起きない……。そんなタスクのなかから、ひとつだけ選んでください。

❷ 重要度チェック

その目標を達成しなければならない理由を考えて、もっとも大事なものをひとつだけ書き込みます。

たとえば「企画書の作成」という目標の場合、人によっては「会社に貢献する」のが最大の理由かもしれませんし、また別の人にとっては「お金を稼ぐ」や「社内の評価を上げる」のがモチベーションなのかもしれません。どのような理由でも問題はないので、自分の気持ちに素直に考えてみましょう。

これは心理療法の世界では「価値ベースのゴール設定」と呼ばれ、カウンセリングの現場などで患者のモチベーション向上に使われています。ここであらためて目標の価値を確認し、「不毛タスク」の悪影響をやわらげましょう。

❸ 具象イメージング

①で選んだ目標を、より具体的なイメージに変換します。できるだけ頭のなかで映像を浮かべやすい内容に変えてください。

例 目標「企画書の作成」→変換「企画書を上司に提出してホッと一息ついたところで映画でも見に行く」

例 目標「毎日ランニングに行く」→変換「毎日のランニングで体力を増やし、いつもクリアな頭で仕事をこなす」

このステップは、「本能は抽象を理解できない」という弱点を補うために行います。目標が抽象的なままでは本能がゴールの現実感を持てず、どうしても意欲はわきません。

「具象イメージング」の効果を示した例としては、カリフォルニアの病院を対象にした研究が有名です(1)。このなかで研究チームは、病院の目標設定を2つのグループに分けました。

①「すべての患者に最高の処置を行う」という抽象的な目標を設定
②「『あの病院は最高だった』と、すべての患者が友人に言いたくなるような処置を行う」のようなイメージしやすい目標を設定

そこから各病院の業績を調べたところ、結果は予想どおりでした。イメージしやすい目標を立てた病院のほうが職員の集中力が高まり、あきらかに患者の満足度も高くなったのです。

「具象イメージング」を考える際は、２つのポイントに注意してください。

専門用語を使わない

「持続可能性の高い社会を作る」などとは言わず、かわりに「ハイブリッドカーが増えた社会を実現」のように具体的な表現をしましょう。専門用語だけでなく、文章を読んですぐに意味が取れないような書き方はＮＧです。

数字を使わない

「１年間で体重を10キロ落とす」ではなく、かわりに「20代のころに買っ

たジーンズをはけるようにする」といった表現を使うほうが効果は高くなります。もちろん自分の達成度を知るためには数字も大切ですが、この段階では、あくまで具体性のほうを重視しましょう。

❹ リバースプランニング

このステップでは、目標達成までのサブゴールと期日を設定します。 しかし、普通に現在から未来に向かって計画を立てるのではなく、最終の目標イメージから現在にさかのぼる形で短期目標を決めてください。

例 目標イメージ「企画書を上司に出してスッキリ」
リバースプランニング「企画書を出す1日前に文章の見直し」→「3日前までに文章の作成をする」→「5日前までに解決策の発案をする」→「7日前までにリサーチと分析を終える」

例 目標イメージ「毎日のランニングで体力を増やす」
リバースプランニング「3ヶ月後までに累計100km走る」→「1ヶ月後までに25kmは走る」→「14日後までに累計10kmは走る」

いくつのサブゴールを作るべきかに明確な基準はありませんが、**だいたい最終期日までに3～5つのマイルストーンを設定するのが一般的です。** 目標の達成まで1年以上かかりそうなときは、2～3ヶ月おきに小さな目標を決めてください。

目の前の報酬にしか興味がない本能にとっては、「遠い未来」は具体性を欠いた薄ぼんやりした概念に過ぎません。締め切りが目前に迫るまで集中力が上がらない人が多いのは、「遠い未来」の抽象性に本能が興味を示さないからです。

そのため、現在から未来に向けてサブゴールを作ってしまうと、本能はあたかも将来が遠くなっていくかのような感覚を覚え、やる気を失ってしまいます。一方で、未来から現在に向けて目標を逆算した場合は、本能があたかも報酬が目の前に近づいてきたかのように錯覚。その結果、モチベーションが上がりやすくなります。

いくつかのデータによれば、「リバースプランニング」は複雑な目標に使ったほうが効果を得やすいようです[(2)]。資格テストの準備や大きなプロジェクトの進行、食習慣の改善など、道のりが長いタスクに使ってみてください。

❺ デイリータスク設定

「リバースプランニング」で決めたサブゴールのなかから、もっとも締め切りが近いものを選び、それを達成するために毎日やるべきタスクをいくつか考えてください。

例 サブゴール「7日前までにリサーチと分析を終える」
デイリータスク「くわしそうな人に話を聞く」「文献サイトから必要な資料を集める」「集めた資料を読み込む」など

例 サブゴール「14日後までに累計10㎞は走る」
デイリータスク「トレッドミルで1㎞走る」「いつものコースを2㎞走る」など

ゴールまでの作業を細かく分けるのはタスク管理の基本。どこまで細かいステップに分けるべきかに科学的なコンセンサスはないものの、ざっくり「数分から1時間で終わるレベル」ぐらいを目指すといいでしょう。

マンスリーページの解説は以上です。このマンスリーページは1回書いたら終わりではなく、プロジェクトの進み具合によっては定期的な修正が必要なので注意してください。

なかでもよく起きるのは「デイリータスク設定」の修正です。集中力が出ない場合は、ひとつの手順をさらに2～3つに分解しましょう。

タスクを小分けにするほど作業の難易度は下がり、そのぶんだけ本能も「報酬の予感」を維持しやすくなります。

ウィークリーページの使い方

左ページ　英語勉強の記入例

❶ 年月日を書き込もう！

❷
睡眠時間を記録して、今日のコンディションを確認しよう！

❸
「報酬感覚プランニング」でやるべきタスクの障害を取り除き、すいすいタスクに手をつけられる状態になる！

20XX 年 3 月 2 週目

	3/6 月 MONDAY	3/7 火 TUESDAY	3/8 水 WEDNESDAY
1. 睡眠時間記録	7 時間 30 分	6 時間 分	7 時間 20 分
2. デイリータスク選択 デイリータスクのなかから、「今日中に手をつけねばならないこと」や「最長でも2、3時間で終わりそうなもの」を3つから5つ選んでください。	・「全パート完全攻略」を10ページやる ・通勤中、字幕なしで「FRIENDS」を1話見る ・英語の経済ニュースを5分でチェックし感想をツイート	・英単語100語復習 ・「全パート完全攻略」を10ページやる ・「模擬問題集」を1パートやる	・英単語100語復習 ・通勤中、字幕なしで「FRIENDS」を1話見る ・英語ニュースを5分でチェックし感想をツイート
3. 障害コントラスト 上記のデイリータスクを達成する際に、発生しそうなトラブルを書き出してください。	・17時からの会議がモメて残業があるかも ・通信量制限がかかるかも ・昨日Kindleで買ったマンガを読んじゃいそう	・株が下がっていて気が取られそう ・少し寝不足でうとうとしちゃうかも	・苦手な単語がたくさんあるパートで時間かかりそう ・電車が満員で見づらいかも ・飲み会があるので今晩はできなさそう
4. 障害フィックス 3で書き出したトラブルに対して、あなたが取れそうな対策を考えて書き出しましょう。	・昼休憩のときにやっておく ・家のWi-Fiで「FRIENDS」は落としておく ・Kindleアプリをアンインストールしておく	・携帯は電源を切ってかばんにいれて、単語帳だけ手に持つ ・晩御飯を食べる前にやる	・ひと通り目を通すということを大切にする ・音声だけ聞くことにする ・昼休憩のときに英語ニュースは読む
5. 質問型アクション 1で選んだデイリータスクについて、それぞれ次のフォーマットに変換してください。 [自分の名前]は、[時間]に[場所]で[デイリータスク]をするか？ 変換できたら今日の作業に取り掛かりましょう。タスクが終わったら、かかった時間をそれぞれに書き足してください。	・田中ひろしは12時15分から喫茶店で「全パート完全攻略」を10ページやるか？ →40分 ・田中ひろしは9時に電車で「FRIENDS」を1話見るか？ →30分 ・田中ひろしは20時にリビングで英語のニュースをチェックするか？ →10分	・田中ひろしは、9時から電車で英単語100問を復習するか？ →30分 ・田中ひろしは、19時からリビングで「全パ」を10ページやるか？ →40分 ・田中ひろしは20時から「模擬問題集」を1パートやるか？ →20分	・田中ひろしは、7時から電車で英単語100問を復習するか？ →30分 ・田中ひろしは、8時から電車で「FRIENDS」を1話見るか？ →30分 ・田中ひろしは、12時15分から喫茶店で英語のニュースをチェックするか？ →10分

右ページ　片づけの記入例

3/9 木 THURSDAY	3/10 金 FRIDAY	3/11 土 SATURDAY	3/12 日 SUNDAY
7時間30分	6時間30分	7時間50分	7時間40分
・メルカリに3つ出品する ・クローゼットを4分の1片づける ・1部屋掃除機をかける	・メルカリに3つ出品する ・クローゼットを4分の1片づける ・コンロまわりをキレイにする	・粗大ごみを出す ・クローゼットを4分の1片づける ・お風呂場をキレイにする	お休み!
・売れそうな値段を調べているうちに時間が経っちゃいそう ・お義父さんに捨てていいか聞かないといけないものが多い ・洗濯物が床に落ちていてやる気をなくしそう	・売るものをキレイにしようとしすぎてしまう ・着物類のしまい方に悩みそう ・重曹がまだあったか不安	・ソファーはひとりで運べない ・冬物のコートを捨てるのに悩みそう ・夜はみんなが入るので漂白できなさそう	—
・服は1律500円で出品すると決める ・お義父さんのものはカゴに全部入れてあとで聞く ・洗濯物は仕分けだけして各自の部屋に置いておく	・"使用感があります"とだけ書いて出品してしまうと決める ・朝のうちに着物の収納用品を調べておく ・夕方買い出しに行くときに忘れないようにメモしておく	・パパが出かける前に一緒に運び出す ・去年着てないものは全部捨ててしまうと決める ・昼過ぎに漂白する	—
・佐藤あきらは10時にリビングでメルカリに3つ出品するか? →30分 ・佐藤あきらは15時にクローゼットを4分の1片づけるか? →1時間 ・佐藤あきらは17時に寝室で掃除機をかけるか? →10分	・佐藤あきらは10時にリビングでメルカリに3つ出品するか? →20分 ・佐藤あきらは11時にクローゼットを4分の1片づけるか? →1時間20分 ・佐藤あきらは20時にコンロまわりをキレイにするか? →20分	・佐藤あきらは9時に家から粗大ごみを出すか? →30分 ・佐藤あきらは16時にクローゼットを4分の1片づけるか? →1時間 ・佐藤あきらは13時にお風呂場をキレイにするか? →15分	—

ウィークリーページの使い方

ウィークリーページでは、マンスリーページでリストアップした「デイリータスク」を実際にこなすための作業を行いましょう。数分から数時間で終わるような短期間のタスクしか扱わないため、このページは毎日のように使うことになります。

❶ デイリータスク選択

マンスリーページで考えた「デイリータスク」のなかから、「その日のうちに手をつけねばならないもの」や「最長でも2～3時間で終わりそうなもの」だけに的を絞り、3～5つほどピックアップしてください。

「デイリータスク」はいくつ選んでもいいのですが、あまりに多すぎると本能が混乱をきたしますし、理性は3つ以上の情報を一気に処理できません。とりあえず1日の作業は最大でも5つまでに収めておき、時間があまったらそのたびにつけたすのが無難です。

❷ 障害コントラスト

選んだデイリータスクを達成する際に、発生しそうなトラブルを書き出します。

たとえば「トレッドミルで1㎞走る」というデイリータスクであれば、「仕事で疲れてやる気が出ない」「ついテレビを見てしまう」といったように、ゴールのジャマになりそうなものを最低でもひとつは考えてみましょう。

障害が思いつかないときは、次の質問の答えを考えてみてください。

- どんな考え方が目標の達成をさまたげているのか？
- どんな行動が目標の達成をさまたげているのか？
- どんな癖や習慣が目標の達成をさまたげているのか？
- どんな思い込みが目標の達成をさまたげているのか？
- どんな感情が目標の達成をさまたげているのか？

　このステップで使ったのは、「心理対比」と呼ばれるテクニックです。
　20年におよぶデータの蓄積を持つ技法で、目標に取り組むモチベーションを高め、作業の集中力を上げる働きを持ちます。
　その効果は驚くべきもので、普通に目標を立てたときに比べ、ゴール達成度の上昇率はなんと200〜320%[3]。手軽なわりにはかなりの効果です。「心理対比」がここまで効果的なのは、本能が「脳内のイメージと現実を区別するのが苦手」な特徴を持つからです。本能は目の前で起きた現実と脳内の情報を同じように扱い、両者のあいだに明確な区別をつけません。
　この特徴は、集中力アップにとって諸刃の剣になります。
　プラスの側面は、もちろんモチベーションの向上です。「リバースプランニング」の項で説明したとおり、本能は具体的なイメージに強くひきつけられるため、そのぶんだけエネルギーが出やすくなります。
　が、その一方で、具体的なイメージに接した本能は、次のように考えてしまう危険性もはらみます。
「もう目標を達成したから何もしなくていいだろう」
　ゴールまでの道のりをくわしく想像したせいで、本能がすでに目標を達成してしまったかのように勘違いしたわけです。
　心理学的には「ポジティブ思考の罠」と言われる状態で、果たして本能の反応がプラスとマイナスのどちらに転ぶかは事前に読めません[4]。「理想の未来を思い描こう！」や「根拠のない自信を持とう！」といった自己啓発系のアドバイスが失敗に終わりやすいのも、同じようなメカニズムが働くのが原因です。
「心理対比」は、この問題を解決してくれます。**意図的にトラブルの発生をイメージしたおかげで、本能は「まだゴールには着いていないのだな」と認識し、前に向かうモチベーションを取り戻してくれるからです。**
　ポジティブ思考を使うときは、必ずネガティブ思考をセットにしてください。

❸ 障害フィックス

前のステップで想定した障害に対して、あなたが取れそうな対策を考えて書き込みましょう。

例 障害「スマホの通知で気がそれる」→対策「スマホの通知をすべて切る」
障害「とにかくやる気がわかない」→対策「とりあえず5分だけ作業に手をつけてみる」
障害「エクササイズをサボってしまう」→対策「サボったら友人に罰金を払うと事前に決めておく」

このステップは、「心理対比」を補強するために行います。

本書冒頭のスマホゲームの例で見たように、本能はものごとが順調に前に進む状態が大好物。ゴールに向けて細かい達成感を次々と味わえないと、急にやる気を失ってしまいます。要するに、本能のモチベーションを保つにはトラブルの発生を想定しておく必要があるものの、その障害がいざ現実になったら、今度は本能がヘソを曲げてしまう可能性があるわけです。

この事態をふせぐには、トラブルの予想と対策をセットで考えておくしかありません。なんともめんどうな話ですが、こればかりは諦めてください。本能を正しく世話するには、それだけの手間が必要なのです。

❹ 質問型アクション

最初のステップで選んだ「デイリータスク」について、それぞれ「質問型アクション」を設定します。デイリータスクの内容を、次のフォーマットに変換してください。

［自分の名前］は、［時間］に［場所］で［デイリータスク］をするか？

例 デイリータスク「企画書の文章の見直しをする」
質問型アクション「山田太郎は、午前9時に会社の自分の席で企画書の見直しをするか？」

例 デイリータスク「2㎞のランニングをする」
質問型アクション「鈴木一郎は、午後7時にジムで2㎞のランニングをするか？」

自分の名前はフルネームで書いても構いませんし、おなじみのニックネームがあればそちらを使ってもいいでしょう。とにかく、自分自身に向けて書かれた質問文だとわかれば問題ありません。

わざわざタスクを質問形式に変えるのは、「問いかけ行動効果」と呼ばれる心理現象にもとづいています。その名のとおり、宣言文よりも質問文のほうが影響力が強いという事実を表す専門用語です。

これは過去40年のあいだに何度も妥当性が確認されてきたテクニックで、51の先行研究をまとめたメタ分析では、**「宣言文よりも質問文のほうが行動を変える力を持ち、その作用は6ヶ月が過ぎても続く」**との報告が得られています[5]。その効果は疑いようがありません。

「質問型アクション」で集中力が上がるのは、質問文のほうが、本能へ訴えかける力が強いからです。たとえば「明日はランニングをする」というタスクを見た場合、本能は文章の意味を理解はしてくれるものの、いまいち〝自分ごと〟としてはとらえきれません。

一方で「明日はランニングをするのか？」という質問文には、アクションをうながす要素がふくまれます。そのせいで質問を投げられた本能は反射的に答えを探し始め、あなたが意識しないうちに「明日のランニング」は自分ごとに変わるのです。

さらに、デイリータスクに「時間」と「場所」を設定したのは、「実行意図」という技法を使っています。特定のタスクについて、いつ、どこで、どのように実行するつもりかを書き出す手法のことで、数百件の研究で効果が実証された定番のテクニックです。94の先行研究を精査したメタ分析によれば、「実行意図はゴール達成にd+ = 0.65の効果量を持つ」とのこと[6]。ここまで取り上げてきたテクニックと比べても、トップクラスの数値です。

デイリータスクに「時間」と「場所」を決めておかないと、本能は自分が行動を起こすべきタイミングを理解できず、できるだけ実行を後にひきのばそうとします。「いつどこで」がわからない作業は、本能にとっては抽象性が高すぎるからです。

『ヤバい集中力ノート』で本能を手なずけ、最高の人生を送ろう！

読書、運動、勉強、片づけ、ダイエット……。「やれば得られる報酬は大きく、生活や人生が豊かになること」は、考えるまでもなくすぐに思いつきます。

しかし、それを徹底できる人が少ないのはなぜでしょうか？　どうして大事なことに手をつけられず、手近なくだらないこと、やらなくていいことに支配されるのでしょうか？

それは本能がもっとも強く反応するのは、報酬そのものではなく「報酬の予感」だからです。たとえダイエットがもたらす報酬が人生において大きなものでも、「本当に痩せられるかどうかわからない」「できたらいいな、と思っている」という不確実で漠然とした報酬の予感のままでは、それよりも「冷蔵庫のお菓子を食べたら今すぐ幸せな気分になれる」という確実で強力な予感を、本能が優先してしまうのです。

この特性は、本能が生まれた原始時代に形づくられました。数百万年前の世界においては、何も考えずに目の前の報酬に飛びつける者こそが適応だったからです。

たとえば、もし数十キロ先に獲物の大群がいたとしても、目の前に小動物が１匹いればそちらを先に狩るべきでしょう。そのせいで獲物の大群を取り逃がしても、とりあえず１匹を確実に仕留めたほうが当座の飢えをしのげます。

そんな環境で進化した本能には、「すぐ手に入りそうな報酬にこそ全力を出すべし」と指示を出すプログラムが備わりました。成果の種類や多寡にはかかわらず、とにかく「報酬の予感」にすばやく反応する無意識のシステムです。

そこで本書を設計するうえでもっとも重要視したのが、この「報酬の予感」を自己の管理下に置けるかどうかです。

本書では、あなたが心からクリアしたいと願うタスクを、「もう少しがんばればできそう！」「あと少しでいい結果が手に入る！」という形に変換します。そうすることで、**あなたの脳に眠る、人間が古来磨き続けてきたパワフルな本能の力を、日々の習慣づくりや目標達成にそのまま活かすことができるようになっています。**本能の手綱を握り、人生を前に進めましょう。

AWESOME FOCUS NOTEBOOK

1

Month 1

Monthly Schedule

年　月

1. ターゲット

どうしても集中力が続かない作業のなかから、自分にとって最も重要なことを選んで書き込んでください。

2. 重要度チェック

上記の目標を達成しなければならない理由のうち、最も大事なものをひとつだけ選んで書き込んでください。

3. 具象イメージング

1で選んだ目標を、より具体的に、頭の中で映像を浮かべやすい内容に変えてください。

4. リバースプランニング

1で選んだ目標を「達成した未来」からさかのぼる形で、いくつかの短期目標を決めてください。

5. デイリータスク設定

4で決めた短期目標のなかから、もっとも締め切りが近いものを選び、それを達成するために毎日やるべきタスクを書き込んでください。

月 MONDAY	火 TUESDAY
【ルーティンチェック】	クリアしたら塗りつぶして

今月の注力ルーティン

水 WEDNESDAY	木 THURSDAY	金 FRIDAY	土 SATURDAY	日 SUNDAY

年　　月　　週目

	／　月 MONDAY	／　火 TUESDAY	／　水 WEDNESDAY
1. 睡眠時間記録	時間　分	時間　分	時間　分
2. デイリータスク選択 デイリータスクのなかから、「今日中に手をつけねばならないこと」や「最長でも2、3時間で終わりそうなもの」を3つから5つ選んでください。			
3. 障害コントラスト 上記のデイリータスクを達成する際に、発生しそうなトラブルを書き出してください。			
4. 障害フィックス 3で書き出したトラブルに対して、あなたが取れそうな対策を考えて書き出しましょう。			
5. 質問型アクション 1で選んだデイリータスクについて、それぞれ次のフォーマットに変換してください。 [自分の名前]は、 [時間]に[場所]で [デイリータスク]をするか？ 変換できたら今日の作業に取り掛かりましょう。 タスクが終わったら、かかった時間をそれぞれに書き足してください。			

/ 木 THURSDAY	/ 金 FRIDAY	/ 土 SATURDAY	/ 日 SUNDAY
時間　分	時間　分	時間　分	時間　分

年　　月　　週目

	／　月 MONDAY	／　火 TUESDAY	／　水 WEDNESDAY
1. 睡眠時間記録	時間　分	時間　分	時間　分
2. デイリータスク選択 デイリータスクのなかから、「今日中に手をつけねばならないこと」や「最長でも2、3時間で終わりそうなもの」を 3 つから5つ選んでください。			
3. 障害コントラスト 上記のデイリータスクを達成する際に、発生しそうなトラブルを書き出してください。			
4. 障害フィックス 3で書き出したトラブルに対して、あなたが取れそうな対策を考えて書き出しましょう。			
5. 質問型アクション 1で選んだデイリータスクについて、それぞれ次のフォーマットに変換してください。 [自分の名前]は、 [時間]に[場所]で [デイリータスク]をするか? 変換できたら今日の作業に取り掛かりましょう。 タスクが終わったら、かかった時間をそれぞれに書き足してください。			

／　木 THURSDAY	／　金 FRIDAY	／　土 SATURDAY	／　日 SUNDAY
時間　分	時間　分	時間　分	時間　分

年　　月　　週目

	／　　月 MONDAY	／　　火 TUESDAY	／　　水 WEDNESDAY
1. 睡眠時間記録	☾　時間　分	☾　時間　分	☾　時間　分
2. デイリータスク選択 デイリータスクのなかから、「今日中に手をつけねばならないこと」や「最長でも2、3時間で終わりそうなもの」を3つから5つ選んでください。			
3. 障害コントラスト 上記のデイリータスクを達成する際に、発生しそうなトラブルを書き出してください。			
4. 障害フィックス 3で書き出したトラブルに対して、あなたが取れそうな対策を考えて書き出しましょう。			
5. 質問型アクション 1で選んだデイリータスクについて、それぞれ次のフォーマットに変換してください。 [自分の名前]は、 [時間]に[場所]で [デイリータスク]をするか? 変換できたら今日の作業に取り掛かりましょう。 タスクが終わったら、かかった時間をそれぞれに書き足してください。			

／　木 THURSDAY	／　金 FRIDAY	／　土 SATURDAY	／　日 SUNDAY
時間　分	時間　分	時間　分	時間　分

年　　月　　週目

	／　月 MONDAY	／　火 TUESDAY	／　水 WEDNESDAY
1. 睡眠時間記録	時間　分	時間　分	時間　分
2. デイリータスク選択 デイリータスクのなかから、「今日中に手をつけねばならないこと」や「最長でも2、3時間で終わりそうなもの」を3つから5つ選んでください。			
3. 障害コントラスト 上記のデイリータスクを達成する際に、発生しそうなトラブルを書き出してください。			
4. 障害フィックス 3で書き出したトラブルに対して、あなたが取れそうな対策を考えて書き出しましょう。			
5. 質問型アクション 1で選んだデイリータスクについて、それぞれ次のフォーマットに変換してください。 [自分の名前]は、 [時間]に[場所]で [デイリータスク]をするか? 変換できたら今日の作業に取り掛かりましょう。 タスクが終わったら、かかった時間をそれぞれに書き足してください。			

/ 木 THURSDAY	/ 金 FRIDAY	/ 土 SATURDAY	/ 日 SUNDAY
時間　分	時間　分	時間　分	時間　分

年　　月　　週目

	／　月 MONDAY	／　火 TUESDAY	／　水 WEDNESDAY
1. 睡眠時間記録	時間　分	時間　分	時間　分
2. デイリータスク選択 デイリータスクのなかから、「今日中に手をつけねばならないこと」や「最長でも2、3時間で終わりそうなもの」を3つから5つ選んでください。			
3. 障害コントラスト 上記のデイリータスクを達成する際に、発生しそうなトラブルを書き出してください。			
4. 障害フィックス 3で書き出したトラブルに対して、あなたが取れそうな対策を考えて書き出しましょう。			
5. 質問型アクション 1で選んだデイリータスクについて、それぞれ次のフォーマットに変換してください。 [自分の名前]は、 [時間]に[場所]で [デイリータスク]をするか? 変換できたら今日の作業に取り掛かりましょう。 タスクが終わったら、かかった時間をそれぞれに書き足してください。			

／ 木 THURSDAY	／ 金 FRIDAY	／ 土 SATURDAY	／ 日 SUNDAY
時間 分	時間 分	時間 分	時間 分

Column 1

脳を変えたいなら「食事日記」が最強のソリューションである

私たちの脳は適切な栄養がなければまともに働かないため、正しい食事なしでは、せっかくの心理テクニックも存分に活かすことができません。

そこで本書では、「MIND」（マインド）という食事法をご紹介します。

これは「Mediterranean-DASH Intervention for Neurodegenerative Delay」の頭文字を取った食事のガイドラインで、日本語に訳せば「神経変性を遅らせるための地中海式＆ DASH 食介入」となります。仰々しい名前ですが、「脳の劣化を防ぐために開発された食事法」ぐらいに解釈していただいて構いません。

認知機能の低下から身を守るテクニックとして一定の評価があり、たとえばラッシュ大学による実験ではうつ病が 11％改善し、アルツハイマーの発症率が 53％も低下したとの結果が出ています[(7)]。科学的に脳のケアを行いたいなら、最初に試すべき手法と言えるでしょう。

「MIND」は、大きく３つのルールでできています。

①脳に良い食品を増やす
②脳に悪い食品を減らす
③カロリー制限はしない

食事の量を減らす必要はなく、お腹いっぱいになるまで食べても問題なし。「脳に悪い食品」も絶対量を減らせばいいだけなので、毎日の食事から完全に排除しなくても構いません。

「MIND」が定める「脳に良い食品」は、次のページ左側の表のような 10 のフードカテゴリーに分かれます。

まずはこれらの食品を取り入れた食事を続けるのが基本です。「MIND」がすすめる食材を中心に食べておけば、細かい栄養素のバランスを気にしなくとも、脳の働きに欠かせない成分が摂取できます。

続いて右側の表が、「MIND」が定める「脳に悪い食品」です。

これらの食品は、できるだけ摂取量を減らしてください。ラーメンやハンバーガーなどを完全に止める必要はないものの、週1回までにしておきましょう。

集中力アップに効く食品がわかったら、次に試して欲しいのが「記録」です。自分が「MIND」をどれぐらい実践できているかを毎日の記録に残し、成果を目に見えるようにしていきましょう。めんどうに思われるかもしれませんが、記録をするとしないでは「MIND」の効果は大きく変わります。

「MIND」の効果を高める記録法はいくつかありますが、もっとも手軽なのは、「MIND」のガイドラインを守れた日に、カレンダーに丸印をつける手法です。これだけでも自分の現在位置とゴールを把握しやすくなり、本能的にモチベーションも上がります。

丸印をつけるのは、「脳に悪い食品を口にしなかった日」だけでも構いません。脳が喜ぶ栄養を増やすのも大事ですが、その前に脳に悪い食品を減らすほうが集中力は上がりやすいことがわかっています。

このノートを活用する際には、マンスリーページのカレンダーにあるルーティンチェック欄を使って毎日のMINDの実践をはかるのをおすすめします。

脳に良い10のフードカテゴリー	
全粒穀物	玄米、オートミール、キヌアなど
葉物野菜	ほうれん草、ケール、レタス、青梗菜など
ナッツ類	クルミ、マカダミア、アーモンドなど
豆類	レンズ豆、大豆、ヒヨコマメなど
ベリー類	ブルーベリー、イチゴ、ラズベリーなど
鳥肉	ニワトリ、鴨、ダックなど
その他の野菜	タマネギ、ブロッコリー、ニンジンなど
魚介類	サーモン、さば、マス、ニシンなど
ワイン	おもに赤ワイン
エキストラバージンオリーブオイル	

脳に悪い7のフードカテゴリー
バターとマーガリン
お菓子・スナック類
赤肉・加工肉
チーズ
揚げ物
ファストフード
外食

MEMO

AWESOME FOCUS NOTEBOOK

2

Month 2

Monthly Schedule

年　月

1. ターゲット

どうしても集中力が続かない作業のなかから、自分にとって最も重要なことを選んで書き込んでください。

2. 重要度チェック

上記の目標を達成しなければならない理由のうち、最も大事なものをひとつだけ選んで書き込んでください。

3. 具象イメージング

1で選んだ目標を、より具体的に、頭の中で映像を浮かべやすい内容に変えてください。

4. リバースプランニング

1で選んだ目標を「達成した未来」からさかのぼる形で、いくつかの短期目標を決めてください。

5. デイリータスク設定

4で決めた短期目標のなかから、もっとも締め切りが近いものを選び、それを達成するために毎日やるべきタスクを書き込んでください。

月 MONDAY	火 TUESDAY
【ルーティンチェック】	クリアしたら塗りつぶして

今月の注力ルーティン

水 WEDNESDAY	木 THURSDAY	金 FRIDAY	土 SATURDAY	日 SUNDAY

年　　　月　　　週目

	／　月 MONDAY	／　火 TUESDAY	／　水 WEDNESDAY
1. 睡眠時間記録	時間　分	時間　分	時間　分
2. デイリータスク選択 デイリータスクのなかから、「今日中に手をつけねばならないこと」や「最長でも2、3時間で終わりそうなもの」を3つから5つ選んでください。			
3. 障害コントラスト 上記のデイリータスクを達成する際に、発生しそうなトラブルを書き出してください。			
4. 障害フィックス 3で書き出したトラブルに対して、あなたが取れそうな対策を考えて書き出しましょう。			
5. 質問型アクション 1で選んだデイリータスクについて、それぞれ次のフォーマットに変換してください。 [自分の名前]は、 [時間]に[場所]で [デイリータスク]をするか? 変換できたら今日の作業に取り掛かりましょう。 タスクが終わったら、かかった時間をそれぞれに書き足してください。			

／　木 THURSDAY	／　金 FRIDAY	／　土 SATURDAY	／　日 SUNDAY
時間　分	時間　分	時間　分	時間　分

年　　　月　　　週目

	／　月 MONDAY	／　火 TUESDAY	／　水 WEDNESDAY
1. 睡眠時間記録	時間　分	時間　分	時間　分
2. デイリータスク選択 デイリータスクのなかから、「今日中に手をつけねばならないこと」や「最長でも2、3時間で終わりそうなもの」を 3 つから5つ選んでください。			
3. 障害コントラスト 上記のデイリータスクを達成する際に、発生しそうなトラブルを書き出してください。			
4. 障害フィックス 3で書き出したトラブルに対して、あなたが取れそうな対策を考えて書き出しましょう。			
5. 質問型アクション 1で選んだデイリータスクについて、それぞれ次のフォーマットに変換してください。 [自分の名前]は、 [時間]に[場所]で [デイリータスク]をするか? 変換できたら今日の作業に取り掛かりましょう。 タスクが終わったら、かかった時間をそれぞれに書き足してください。			

／　木 THURSDAY	／　金 FRIDAY	／　土 SATURDAY	／　日 SUNDAY
☽　時間　分	☽　時間　分	☽　時間　分	☽　時間　分

年　　月　　週目

	／　月 MONDAY	／　火 TUESDAY	／　水 WEDNESDAY
1. 睡眠時間記録	時間　分	時間　分	時間　分
2. デイリータスク選択 デイリータスクのなかから、「今日中に手をつけねばならないこと」や「最長でも2、3時間で終わりそうなもの」を3つから5つ選んでください。			
3. 障害コントラスト 上記のデイリータスクを達成する際に、発生しそうなトラブルを書き出してください。			
4. 障害フィックス 3で書き出したトラブルに対して、あなたが取れそうな対策を考えて書き出しましょう。			
5. 質問型アクション 1で選んだデイリータスクについて、それぞれ次のフォーマットに変換してください。 [自分の名前]は、 [時間]に[場所]で [デイリータスク]をするか? 変換できたら今日の作業に取り掛かりましょう。 タスクが終わったら、かかった時間をそれぞれに書き足してください。			

／　木 THURSDAY	／　金 FRIDAY	／　土 SATURDAY	／　日 SUNDAY
時間　分	時間　分	時間　分	時間　分

年　　月　　週目

	／　月 MONDAY	／　火 TUESDAY	／　水 WEDNESDAY
1. 睡眠時間記録	☽　時間　分	☽　時間　分	☽　時間　分
2. デイリータスク選択 デイリータスクのなかから、「今日中に手をつけねばならないこと」や「最長でも2、3時間で終わりそうなもの」を3つから5つ選んでください。			
3. 障害コントラスト 上記のデイリータスクを達成する際に、発生しそうなトラブルを書き出してください。			
4. 障害フィックス 3で書き出したトラブルに対して、あなたが取れそうな対策を考えて書き出しましょう。			
5. 質問型アクション 1で選んだデイリータスクについて、それぞれ次のフォーマットに変換してください。 [自分の名前]は、 [時間]に[場所]で [デイリータスク]をするか? 変換できたら今日の作業に取り掛かりましょう。 タスクが終わったら、かかった時間をそれぞれに書き足してください。			

／ 木 THURSDAY	／ 金 FRIDAY	／ 土 SATURDAY	／ 日 SUNDAY
時間　分	時間　分	時間　分	時間　分

年　　月　　週目

	／　月 MONDAY	／　火 TUESDAY	／　水 WEDNESDAY
1. 睡眠時間記録	時間　分	時間　分	時間　分
2. デイリータスク選択 デイリータスクのなかから、「今日中に手をつけねばならないこと」や「最長でも2、3時間で終わりそうなもの」を3つから5つ選んでください。			
3. 障害コントラスト 上記のデイリータスクを達成する際に、発生しそうなトラブルを書き出してください。			
4. 障害フィックス 3で書き出したトラブルに対して、あなたが取れそうな対策を考えて書き出しましょう。			
5. 質問型アクション 1で選んだデイリータスクについて、それぞれ次のフォーマットに変換してください。 [自分の名前]は、 [時間]に[場所]で [デイリータスク]をするか？ 変換できたら今日の作業に取り掛かりましょう。 タスクが終わったら、かかった時間をそれぞれに書き足してください。			

／ 木 THURSDAY	／ 金 FRIDAY	／ 土 SATURDAY	／ 日 SUNDAY
時間　分	時間　分	時間　分	時間　分

Column 2 朝イチは簡単なタスクから手をつけると集中力が加速する

大事な勉強をしなければならないのに、なんとなく不要なメールの返信に集中したり、YouTubeを見続けたりしてしまう……。

誰にでも起こり得るこのような現象を、心理学の世界では「達成バイアス」と呼びます。長期的で重要なタスクよりも、短期的で重要度が低いタスクに意識を集中させてしまう現象のことです。

「達成バイアス」が集中力におよぼす悪影響は言うまでもありません。

アメリカの病院から約4万件におよぶ治療データを集めた研究では、1日の患者数が増えるごとに医師たちの達成バイアスが激増。バイアスにとりつかれた医師は、症状が軽い患者を優先し、重症な患者を後回しにしたそうです(8)。

身に覚えのある人は多いでしょう。仕事は山積みなのについ部屋の掃除を始めたりマンガを読みふけったりと、手近なタスクに集中力を使ってしまうのはよくある話。私たちのなかには、忙しくなるほど大事な仕事から目をそむけたくなる心理システムが備わっているのです。

そのため、昔からビジネス書の世界では「難しい作業から先にやるべし！」といったアドバイスがなされてきました。難易度が高いタスクをはじめに終えてしまえば、あとはリラックスして残りの作業に取り組めるからです。「まず、朝一番にカエルを食べろ！（＝難しくて大変な仕事から手をつけよ）」と主張するブライアン・トレーシーの著作などが代表的な例でしょう。

感覚的には説得力があるアドバイスですが、実はここ数年は、「達成バイアス」を正しく使ったほうが集中力が高まるとの報告が増えてきました。**難しい作業から手をつけるのではなく、メール返信のようなタスクを先にしたほうが、最終的な成果は上がりやすくなる**、というのです。

ハーバード・ビジネス・スクールの研究を見てみましょう。

研究チームは、さまざまな業種から500人のビジネスパーソンを集め、3つのグループに分けました(8)。

①朝に１日のタスクをすべて書き出し、重要で大変なタスクから作業をこなしていく
②朝に１日のタスクをすべて書き出してリストの順番どおりにこなしていき、ひとつの作業を終えたらチェックを入れる
③朝に１日のタスクをすべて書き出し、簡単なタスクをリストの先頭にまとめ、その順番どおりに作業を進める

その後、すべての被験者の仕事ぶりを記録したところ、タスクの達成量がもっとも多かったのは３番目の「達成バイアス」を使ったグループでした。１日の最初に簡単なタスクをこなした被験者はみんな集中力が上がり、最後には仕事への満足感も改善したというから、すばらしい成果です。

「達成バイアス」で集中力が上がるのは、脳内ホルモンの分泌が大きな原因です。

第一に、簡単なタスクをこなすとその時点で本能は大きな達成感を覚え、脳内にドーパミンという神経伝達物質が大量に放出されます。

ドーパミンには注意力やモチベーションを引き出す働きがあるため、タスクを終えた直後からあなたの集中力は一気に増加。その勢いが次のタスクにも影響を与えて、最終的な成果も上がりやすくなります。「達成バイアス」のおかげで、集中力がキャリーオーバーされたわけです。

１日のはじめに行うタスクはなんでも構いませんが、メール返信や請求書の作成のように、５分前後で片がつくようなものを選んでください。それに加えて、日常の業務が少しだけでも前に進むようなタスクならベストです。

たとえば、「デイリータスク選択」で書き出した作業のなかから「すぐに達成できそうなもの」をピックアップし、１日のはじめに持ってくるのもいいでしょう。それだけで、「達成バイアス」は本能のパワーブースターとして働いてくれます。

MEMO

AWESOME FOCUS NOTEBOOK

Month 3

Monthly Schedule

年　　月

1. ターゲット

どうしても集中力が続かない作業のなかから、自分にとって最も重要なことを選んで書き込んでください。

2. 重要度チェック

上記の目標を達成しなければならない理由のうち、最も大事なものをひとつだけ選んで書き込んでください。

3. 具象イメージング

1で選んだ目標を、より具体的に、頭の中で映像を浮かべやすい内容に変えてください。

4. リバースプランニング

1で選んだ目標を「達成した未来」からさかのぼる形で、いくつかの短期目標を決めてください。

5. デイリータスク設定

4で決めた短期目標のなかから、もっとも締め切りが近いものを選び、それを達成するために毎日やるべきタスクを書き込んでください。

月 MONDAY	火 TUESDAY
【ルーティンチェック】	クリアしたら塗りつぶして

今月の注力ルーティン

水 WEDNESDAY	木 THURSDAY	金 FRIDAY	土 SATURDAY	日 SUNDAY

年　月　週目

	／　月 MONDAY	／　火 TUESDAY	／　水 WEDNESDAY
1. 睡眠時間記録	時間　分	時間　分	時間　分
2. デイリータスク選択 デイリータスクのなかから、「今日中に手をつけねばならないこと」や「最長でも2、3時間で終わりそうなもの」を3つから5つ選んでください。			
3. 障害コントラスト 上記のデイリータスクを達成する際に、発生しそうなトラブルを書き出してください。			
4. 障害フィックス 3で書き出したトラブルに対して、あなたが取れそうな対策を考えて書き出しましょう。			
5. 質問型アクション 1で選んだデイリータスクについて、それぞれ次のフォーマットに変換してください。 [自分の名前]は、 [時間]に[場所]で [デイリータスク]をするか？ 変換できたら今日の作業に取り掛かりましょう。 タスクが終わったら、かかった時間をそれぞれに書き足してください。			

／　木 THURSDAY	／　金 FRIDAY	／　土 SATURDAY	／　日 SUNDAY
時間　分	時間　分	時間　分	時間　分

年　　月　　週目

	／　月 MONDAY	／　火 TUESDAY	／　水 WEDNESDAY
1. 睡眠時間記録	時間　分	時間　分	時間　分
2. デイリータスク選択 デイリータスクのなかから、「今日中に手をつけねばならないこと」や「最長でも2、3時間で終わりそうなもの」を3つから5つ選んでください。			
3. 障害コントラスト 上記のデイリータスクを達成する際に、発生しそうなトラブルを書き出してください。			
4. 障害フィックス 3で書き出したトラブルに対して、あなたが取れそうな対策を考えて書き出しましょう。			
5. 質問型アクション 1で選んだデイリータスクについて、それぞれ次のフォーマットに変換してください。 [自分の名前]は、 [時間]に[場所]で [デイリータスク]をするか？ 変換できたら今日の作業に取り掛かりましょう。 タスクが終わったら、かかった時間をそれぞれに書き足してください。			

／　木 THURSDAY	／　金 FRIDAY	／　土 SATURDAY	／　日 SUNDAY
時間　分	時間　分	時間　分	時間　分

年　　月　　週目

	／　月 MONDAY	／　火 TUESDAY	／　水 WEDNESDAY
1. 睡眠時間記録	☽　時間　分	☽　時間　分	☽　時間　分
2. デイリータスク選択 デイリータスクのなかから、「今日中に手をつけねばならないこと」や「最長でも2、3時間で終わりそうなもの」を3つから5つ選んでください。			
3. 障害コントラスト 上記のデイリータスクを達成する際に、発生しそうなトラブルを書き出してください。			
4. 障害フィックス 3で書き出したトラブルに対して、あなたが取れそうな対策を考えて書き出しましょう。			
5. 質問型アクション 1で選んだデイリータスクについて、それぞれ次のフォーマットに変換してください。 [自分の名前]は、 [時間]に[場所]で [デイリータスク]をするか? 変換できたら今日の作業に取り掛かりましょう。 タスクが終わったら、かかった時間をそれぞれに書き足してください。			

／ 木 THURSDAY	／ 金 FRIDAY	／ 土 SATURDAY	／ 日 SUNDAY
時間 分	時間 分	時間 分	時間 分

年　月　週目

	／　月 MONDAY	／　火 TUESDAY	／　水 WEDNESDAY
1. 睡眠時間記録	時間　分	時間　分	時間　分
2. デイリータスク選択 デイリータスクのなかから、「今日中に手をつけねばならないこと」や「最長でも2、3時間で終わりそうなもの」を3つから5つ選んでください。			
3. 障害コントラスト 上記のデイリータスクを達成する際に、発生しそうなトラブルを書き出してください。			
4. 障害フィックス 3で書き出したトラブルに対して、あなたが取れそうな対策を考えて書き出しましょう。			
5. 質問型アクション 1で選んだデイリータスクについて、それぞれ次のフォーマットに変換してください。 [自分の名前] は、 [時間] に [場所] で [デイリータスク] をするか? 変換できたら今日の作業に取り掛かりましょう。 タスクが終わったら、かかった時間をそれぞれに書き足してください。			

／　木 THURSDAY	／　金 FRIDAY	／　土 SATURDAY	／　日 SUNDAY
時間　分	時間　分	時間　分	時間　分

年　　月　　週目

	／　月 MONDAY	／　火 TUESDAY	／　水 WEDNESDAY
1. 睡眠時間記録	🌙　時間　分	🌙　時間　分	🌙　時間　分
2. デイリータスク選択 デイリータスクのなかから、「今日中に手をつけねばならないこと」や「最長でも2、3時間で終わりそうなもの」を3つから5つ選んでください。			
3. 障害コントラスト 上記のデイリータスクを達成する際に、発生しそうなトラブルを書き出してください。			
4. 障害フィックス 3で書き出したトラブルに対して、あなたが取れそうな対策を考えて書き出しましょう。			
5. 質問型アクション 1で選んだデイリータスクについて、それぞれ次のフォーマットに変換してください。 [自分の名前]は、 [時間]に[場所]で [デイリータスク]をするか? 変換できたら今日の作業に取り掛かりましょう。 タスクが終わったら、かかった時間をそれぞれに書き足してください。			

／ 木 THURSDAY	／ 金 FRIDAY	／ 土 SATURDAY	／ 日 SUNDAY
時間 分	時間 分	時間 分	時間 分

Column
3

「できた!」を繰り返し記録して達成グセをつける

正しい習慣を作るためには「記録」が重要です。

日記、ブログ、家計簿、体重の変化など、記録の内容は問いません。なんらかのデータを定期的に残し続ける行為は、いずれも集中力アップの習慣として機能してくれます。「集中力アップのために家計簿をつけましょう！」と言われてピンと来る人は少ないでしょうが、すでに複数の研究がその効果を示しています。

たとえば、ある実験では、被験者たちに家計簿サイトを使って日々の支出を記録するように指示。４ヶ月後に認知テストを行ったところ、家計簿を細かくつけた人ほど主観的なストレスが減り、普段の仕事にも気を散らさずに取り組めるようになっていました[9]。記録をつけただけで集中力が上がるというのだから、なんとも不思議な現象でしょう。

このような現象が起きるのは、Column2 の「達成バイアス」の項でも見たドーパミンが大きな理由のひとつです。記録のように簡単なタスクは本能に手頃な達成感を与え、集中力をブーストしてくれます。

しかし、ここでさらに大きなポイントは「自己効力感」です。**記録の継続には、あなたのなかに「自分はできる人間なのだ」との感覚を増やす働きがあるのです。**手短にメカニズムを説明しましょう。

まず、どんなに小さな記録だろうが、ひたすら長く続けるうちに、本能が「この作業はとても大事なことに違いない」と思い始めます。

さらに、ここから何度も記録をくり返すと、より興味深い変化が起こります。本能のなかに、「これだけ大事なことをしっかり続けられたのだから、自分には高い能力があるに違いない」という感覚が育つのです。記録の継続があなたの自信を高め、その感覚が日々の仕事に取り組む意欲を高めてくれたわけです。

事実、先の研究でも、家計簿をつけたグループには自己効力感の増加が確認されています。こんなことで本能の感覚を誘導できるのだから、ぜひ試すべきでしょう。

Column 1の「MIND」や、このノートそのものの「報酬感覚プランニング」などは、どれも記録のトレーニングにうってつけでしょう。

また、よく言われることですが、ゴールまでの進捗状況を記録するのも非常に良い方法です。リーズ大学によるメタ分析では、作業の進み具合を記録した場合、目標の達成率は「d+ = 0.40」の効果量で高くなるとのこと[(10)]。劇的な効果とまではいかないものの、十分に試す価値があるレベルです。

ゴールまでの進捗状況を記録するときは、次のポイントに注意してください。

①行動を変えたいときには、自分がとった行動だけを記録する
②結果を出したいときには、結果への過程だけを記録する

たとえば、減量を目指す人が食事の内容を記録すると、ダイエットが失敗に終わる確率は高くなります。「減量」という結果を目指したはずなのに、「食事」という行動の内容を記録したからです。

体重を減らすのがゴールなら、体重の記録に集中するのが基本中の基本。逆に食事の習慣を変えたいなら、食べた物を記録したほうが効果は高くなります。もう少し例を挙げてみましょう。

- **貯金を殖やしたければ、貯金額の増減だけを記録する**
- **タバコを止めたければ、タバコを吸わなかった日数だけを記録する**
- **運動を続けたければ、ジムに行った日数だけを記録する**

ここを間違えると記録の効果は激減します。記録をつけるときは、必ず行動と結果の対応を取ってください。

記録の効果が出るまでの目安は最低でも2ヶ月です。即効性はないテクニックなので、数日で効果を実感できなくても諦めずに続けましょう。

MEMO

AWESOME FOCUS NOTEBOOK

4

Month 4

Monthly Schedule

年　　月

1. ターゲット

どうしても集中力が続かない作業のなかから、自分にとって最も重要なことを選んで書き込んでください。

2. 重要度チェック

上記の目標を達成しなければならない理由のうち、最も大事なものをひとつだけ選んで書き込んでください。

3. 具象イメージング

1で選んだ目標を、より具体的に、頭の中で映像を浮かべやすい内容に変えてください。

4. リバースプランニング

1で選んだ目標を「達成した未来」からさかのぼる形で、いくつかの短期目標を決めてください。

5. デイリータスク設定

4で決めた短期目標のなかから、もっとも締め切りが近いものを選び、それを達成するために毎日やるべきタスクを書き込んでください。

月 MONDAY	火 TUESDAY
【ルーティンチェック】	クリアしたら塗りつぶして

今月の注力ルーティン ＿＿＿＿＿＿＿＿

水 WEDNESDAY	木 THURSDAY	金 FRIDAY	土 SATURDAY	日 SUNDAY

年　　月　　週目

	／　月 MONDAY	／　火 TUESDAY	／　水 WEDNESDAY
1. 睡眠時間記録	☽　時間　分	☽　時間　分	☽　時間　分
2. デイリータスク選択 デイリータスクのなかから、「今日中に手をつけねばならないこと」や「最長でも2、3時間で終わりそうなもの」を3つから5つ選んでください。			
3. 障害コントラスト 上記のデイリータスクを達成する際に、発生しそうなトラブルを書き出してください。			
4. 障害フィックス 3で書き出したトラブルに対して、あなたが取れそうな対策を考えて書き出しましょう。			
5. 質問型アクション 1で選んだデイリータスクについて、それぞれ次のフォーマットに変換してください。 [自分の名前]は、 [時間]に[場所]で [デイリータスク]をするか？ 変換できたら今日の作業に取り掛かりましょう。 タスクが終わったら、かかった時間をそれぞれに書き足してください。			

／　木 THURSDAY	／　金 FRIDAY	／　土 SATURDAY	／　日 SUNDAY
☽　時間　分	☽　時間　分	☽　時間　分	☽　時間　分

年　　月　　週目

	／　月 MONDAY	／　火 TUESDAY	／　水 WEDNESDAY
1. 睡眠時間記録	時間　分	時間　分	時間　分
2. デイリータスク選択 デイリータスクのなかから、「今日中に手をつけねばならないこと」や「最長でも2、3時間で終わりそうなもの」を3つから5つ選んでください。			
3. 障害コントラスト 上記のデイリータスクを達成する際に、発生しそうなトラブルを書き出してください。			
4. 障害フィックス 3で書き出したトラブルに対して、あなたが取れそうな対策を考えて書き出しましょう。			
5. 質問型アクション 1で選んだデイリータスクについて、それぞれ次のフォーマットに変換してください。 [自分の名前]は、 [時間]に[場所]で [デイリータスク]をするか? 変換できたら今日の作業に取り掛かりましょう。 タスクが終わったら、かかった時間をそれぞれに書き足してください。			

／ 木 THURSDAY	／ 金 FRIDAY	／ 土 SATURDAY	／ 日 SUNDAY
時間　分	時間　分	時間　分	時間　分

年　　月　　週目

	／ 月 MONDAY	／ 火 TUESDAY	／ 水 WEDNESDAY
1. 睡眠時間記録	時間　分	時間　分	時間　分
2. デイリータスク選択 デイリータスクのなかから、「今日中に手をつけねばならないこと」や「最長でも2、3時間で終わりそうなもの」を 3 つから 5 つ選んでください。			
3. 障害コントラスト 上記のデイリータスクを達成する際に、発生しそうなトラブルを書き出してください。			
4. 障害フィックス 3で書き出したトラブルに対して、あなたが取れそうな対策を考えて書き出しましょう。			
5. 質問型アクション 1で選んだデイリータスクについて、それぞれ次のフォーマットに変換してください。 [自分の名前] は、 [時間] に [場所] で [デイリータスク] をするか? 変換できたら今日の作業に取り掛かりましょう。 タスクが終わったら、かかった時間をそれぞれに書き足してください。			

／ 木 THURSDAY	／ 金 FRIDAY	／ 土 SATURDAY	／ 日 SUNDAY
時間 分	時間 分	時間 分	時間 分

年　　月　　週目

	／　月 MONDAY	／　火 TUESDAY	／　水 WEDNESDAY
1. 睡眠時間記録	時間　分	時間　分	時間　分
2. デイリータスク選択 デイリータスクのなかから、「今日中に手をつけねばならないこと」や「最長でも2、3時間で終わりそうなもの」を3つから5つ選んでください。			
3. 障害コントラスト 上記のデイリータスクを達成する際に、発生しそうなトラブルを書き出してください。			
4. 障害フィックス 3で書き出したトラブルに対して、あなたが取れそうな対策を考えて書き出しましょう。			
5. 質問型アクション 1で選んだデイリータスクについて、それぞれ次のフォーマットに変換してください。 [自分の名前]は、 [時間]に[場所]で [デイリータスク]をするか? 変換できたら今日の作業に取り掛かりましょう。 タスクが終わったら、かかった時間をそれぞれに書き足してください。			

／　木 THURSDAY	／　金 FRIDAY	／　土 SATURDAY	／　日 SUNDAY
時間　分	時間　分	時間　分	時間　分

年　　月　　週目

	／　月 MONDAY	／　火 TUESDAY	／　水 WEDNESDAY
1. 睡眠時間記録	時間　分	時間　分	時間　分
2. デイリータスク選択 デイリータスクのなかから、「今日中に手をつけねばならないこと」や「最長でも2、3時間で終わりそうなもの」を3つから5つ選んでください。			
3. 障害コントラスト 上記のデイリータスクを達成する際に、発生しそうなトラブルを書き出してください。			
4. 障害フィックス 3で書き出したトラブルに対して、あなたが取れそうな対策を考えて書き出しましょう。			
5. 質問型アクション 1で選んだデイリータスクについて、それぞれ次のフォーマットに変換してください。 [自分の名前]は、 [時間]に[場所]で [デイリータスク]をするか? 変換できたら今日の作業に取り掛かりましょう。 タスクが終わったら、かかった時間をそれぞれに書き足してください。			

／　木 THURSDAY	／　金 FRIDAY	／　土 SATURDAY	／　日 SUNDAY
時間　分	時間　分	時間　分	時間　分

Column 4

「小さな不快」で本能を刺激する

記録に慣れたところで新たな習慣のタネとして導入して欲しいのが、「小さな不快」の要素です。

「小さな不快」とは、あなたの体と心に軽い負荷を与えるようなものごとを指し、具体的には次のような行為が挙げられます。

- **好きなお酒をちょっとだけ我慢する**
- **利き手ではない方の手でマウスを操作する**
- **背中が曲がっていることに気づいたら背筋を伸ばす**

「そんなことで集中力が上がるわけがない」と思った方も多いでしょうが、それは大間違い。実はここに挙げた事例はすべて、正式な実験で集中力アップの効果が確認されたものばかりです[11]。

代表的な例として、酒と集中力に関するリサーチを紹介しましょう[12]。

これは477人の男女を対象にした研究で、スキンパッチテストで全員のアルコール代謝のレベルを調べたあと、全体を2つのグループに分けました。

①アルコールに強くて酒が好き
②アルコールに弱いが酒は好き

このような調査をしたのは、「アルコールに弱いが酒は好き」な人たちは、普段から「小さな不快」を耐えている可能性が高いからです。生まれつき酒に弱ければ、「もう一杯飲みたい」と思っても我慢するしかありません。この違いが被験者の集中力に差をもたらすのではないかと、研究チームは考えたわけです。

その後、全員に集中力テストを行ったところ、両グループには明確な差が現れました。

定期的に酒の誘惑に耐えている人ほど目先の欲望に流されにくく、注意をそらさずタスクへ取り組む傾向が強かったのです。

この結果が示すのは、普段から小さな忍耐を積み重ねておけば、まったく違うシチュエーションでも集中力が出やすくなるという事実です。好きな酒を少しだけ我慢したり、慣れない動作でマウスを操作したりと、一見すると何の意味もなさそうな日常の我慢が、あなたの集中力の土台を底上げしてくれます。

「小さな不快」で集中力が上がるのは、先の「記録」で見たメカニズムと同じように、自己への信頼感を育む働きがあるからです。

日常的に小さな我慢をくり返していると、少しずつ本能のなかに「自分には未来の結果を左右する力があるのだ」との感覚が生まれます。「誘惑に耐えた」という小さな成功体験のおかげで、人生のコントロール感覚が高まった状態です。この新たな感覚が「未来の成功を左右するのは自分なのだ」との認識につながり、そのぶんだけ目の前の誘惑に耐えようとするモチベーションが上昇。結果的に集中力がアップしていきます。

言い換えれば、「小さな不快」とは心の筋トレのようなものです。一時的なトレーニングの不快感を耐えないと筋肉が育たないように、精神にもある程度の負荷を与えなければ成長は見込めません。

どのような「小さな不快」を選ぶかは人それぞれです。「夜のお菓子を我慢する」や「新しい物を買ったら何か捨てる」など、なんでもいいのであなたにとって少しだけ忍耐が要求される行動を採用してください。

その際に、もっとも大事なのは「難易度の設定」です。たとえば、「夜はお菓子を我慢する」という不快を選んだとしても、人によってはどうしても耐えられないかもしれませんし、人によっては楽にこなせるレベルなのかもしれません。このラインを間違えると、せっかくの習慣が逆効果になってしまいます。

多くのデータによれば、「不快」の難易度は、成功率が8～9割になるあたりを目指すのがベストです。これより上の難易度だと気持ちがくじけてしまいますし、いつも成功するようなレベルだと本能のトレーニングになりません。大半の場面では耐えられるものの、まれに失敗してしまうような不快さを選ぶようにしてください。

MEMO

AWESOME FOCUS NOTEBOOK

5

Month 5

Monthly Schedule

年　　　月

1. ターゲット

どうしても集中力が続かない作業のなかから、自分にとって最も重要なことを選んで書き込んでください。

2. 重要度チェック

上記の目標を達成しなければならない理由のうち、最も大事なものをひとつだけ選んで書き込んでください。

3. 具象イメージング

1で選んだ目標を、より具体的に、頭の中で映像を浮かべやすい内容に変えてください。

4. リバースプランニング

1で選んだ目標を「達成した未来」からさかのぼる形で、いくつかの短期目標を決めてください。

5. デイリータスク設定

4で決めた短期目標のなかから、もっとも締め切りが近いものを選び、それを達成するために毎日やるべきタスクを書き込んでください。

月 MONDAY	火 TUESDAY
【ルーティンチェック】	クリアしたら塗りつぶして

今月の注力ルーティン

水 WEDNESDAY	木 THURSDAY	金 FRIDAY	土 SATURDAY	日 SUNDAY

年　　月　　週目

	／　月 MONDAY	／　火 TUESDAY	／　水 WEDNESDAY
1. 睡眠時間記録	時間　分	時間　分	時間　分
2. デイリータスク選択 デイリータスクのなかから、「今日中に手をつけねばならないこと」や「最長でも2、3時間で終わりそうなもの」を3つから5つ選んでください。			
3. 障害コントラスト 上記のデイリータスクを達成する際に、発生しそうなトラブルを書き出してください。			
4. 障害フィックス 3で書き出したトラブルに対して、あなたが取れそうな対策を考えて書き出しましょう。			
5. 質問型アクション 1で選んだデイリータスクについて、それぞれ次のフォーマットに変換してください。 [自分の名前]は、 [時間]に[場所]で [デイリータスク]をするか? 変換できたら今日の作業に取り掛かりましょう。 タスクが終わったら、かかった時間をそれぞれに書き足してください。			

／ 木 THURSDAY	／ 金 FRIDAY	／ 土 SATURDAY	／ 日 SUNDAY
時間　分	時間　分	時間　分	時間　分

年　　月　　週目

	／　月 MONDAY	／　火 TUESDAY	／　水 WEDNESDAY
1. 睡眠時間記録	時間　分	時間　分	時間　分
2. デイリータスク選択 デイリータスクのなかから、「今日中に手をつけねばならないこと」や「最長でも2、3時間で終わりそうなもの」を3つから5つ選んでください。			
3. 障害コントラスト 上記のデイリータスクを達成する際に、発生しそうなトラブルを書き出してください。			
4. 障害フィックス 3で書き出したトラブルに対して、あなたが取れそうな対策を考えて書き出しましょう。			
5. 質問型アクション 1で選んだデイリータスクについて、それぞれ次のフォーマットに変換してください。 [自分の名前]は、 [時間]に[場所]で [デイリータスク]をするか? 変換できたら今日の作業に取り掛かりましょう。 タスクが終わったら、かかった時間をそれぞれに書き足してください。			

／ 木 THURSDAY	／ 金 FRIDAY	／ 土 SATURDAY	／ 日 SUNDAY
時間　分	時間　分	時間　分	時間　分

年　　月　　週目

	／　月 MONDAY	／　火 TUESDAY	／　水 WEDNESDAY
1. 睡眠時間記録	時間　分	時間　分	時間　分
2. デイリータスク選択 デイリータスクのなかから、「今日中に手をつけねばならないこと」や「最長でも2、3時間で終わりそうなもの」を3つから5つ選んでください。			
3. 障害コントラスト 上記のデイリータスクを達成する際に、発生しそうなトラブルを書き出してください。			
4. 障害フィックス 3で書き出したトラブルに対して、あなたが取れそうな対策を考えて書き出しましょう。			
5. 質問型アクション 1で選んだデイリータスクについて、それぞれ次のフォーマットに変換してください。 [自分の名前]は、 [時間]に[場所]で [デイリータスク]をするか? 変換できたら今日の作業に取り掛かりましょう。 タスクが終わったら、かかった時間をそれぞれに書き足してください。			

／　木 THURSDAY	／　金 FRIDAY	／　土 SATURDAY	／　日 SUNDAY
時間　分	時間　分	時間　分	時間　分

年　　月　　週目

	／　月 MONDAY	／　火 TUESDAY	／　水 WEDNESDAY
1. 睡眠時間記録	時間　分	時間　分	時間　分
2. デイリータスク選択 デイリータスクのなかから、「今日中に手をつけねばならないこと」や「最長でも2、3時間で終わりそうなもの」を３つから５つ選んでください。			
3. 障害コントラスト 上記のデイリータスクを達成する際に、発生しそうなトラブルを書き出してください。			
4. 障害フィックス ３で書き出したトラブルに対して、あなたが取れそうな対策を考えて書き出しましょう。			
5. 質問型アクション １で選んだデイリータスクについて、それぞれ次のフォーマットに変換してください。 [自分の名前]は、 [時間]に[場所]で [デイリータスク]をするか？ 変換できたら今日の作業に取り掛かりましょう。 タスクが終わったら、かかった時間をそれぞれに書き足してください。			

／ 木 THURSDAY	／ 金 FRIDAY	／ 土 SATURDAY	／ 日 SUNDAY
時間 分	時間 分	時間 分	時間 分

年　　月　　週目

	／　月 MONDAY	／　火 TUESDAY	／　水 WEDNESDAY
1. 睡眠時間記録	時間　分	時間　分	時間　分
2. デイリータスク選択 デイリータスクのなかから、「今日中に手をつけねばならないこと」や「最長でも2、3時間で終わりそうなもの」を3つから5つ選んでください。			
3. 障害コントラスト 上記のデイリータスクを達成する際に、発生しそうなトラブルを書き出してください。			
4. 障害フィックス 3で書き出したトラブルに対して、あなたが取れそうな対策を考えて書き出しましょう。			
5. 質問型アクション 1で選んだデイリータスクについて、それぞれ次のフォーマットに変換してください。 [自分の名前]は、 [時間]に[場所]で [デイリータスク]をするか? 変換できたら今日の作業に取り掛かりましょう。 タスクが終わったら、かかった時間をそれぞれに書き足してください。			

／ 木 THURSDAY	／ 金 FRIDAY	／ 土 SATURDAY	／ 日 SUNDAY
☽ 時間 分	☽ 時間 分	☽ 時間 分	☽ 時間 分

習慣スタッキングで本能を導き良い習慣を連鎖させよう

いったんひとつの習慣が身についたら、続いて「習慣スタッキング」を試してみてください。これはスタンフォード大学の行動科学ラボが提唱する手法で、それぞれの習慣に対して、さらに別の習慣を積み重ねていくテクニックのことです[13]。いくつか例を見てみましょう。

習慣1「8時になったらデイリータスクのなかから、もっとも簡単にできそうなものを選んで最優先で取り組む」
習慣2「簡単なタスクを終えたら、今度はもっとも難しい作業に取り組む」
習慣3「難しい作業を終えたら、外に出て10分だけランニングをする」

習慣1「夕飯を食べ終わったら、15分の瞑想をする」
習慣2「15分の瞑想を終えたら、『報酬感覚プランニング』のシートに明日の計画を書き込む」
習慣3「『報酬感覚プランニング』を終えたら、ダラダラせずすぐに寝る」

このように、複数の習慣を次々に重ねていくのが最大のポイントです。つまり、自分なりの「習慣スタッキング」を作る際には、次の文章を穴埋めすることになります。

[古い習慣]をやり終えたら、次は[新しい習慣]をやる

スタッキングを行う際は、すでに身についた習慣のなかに新たな行動を組み込むのも効果的です。たとえば、現時点で「運動をする→瞑想をする」といった手順が習慣化されているなら、「運動をする→読書をする→瞑想をする」といったように、新たな行動をあいだに挟み込みましょう。

習慣は週4回2ヶ月続けると完全に身につく

さて、ひとつの習慣が完全に自動化するまでには、どれぐらいの反復が必要でしょうか？

この点についてはまだ決定的なデータはありませんが、2015年にビクトリア大学がおもしろい調査を行っています[14]。研究チームは、フィットネスジムに加入したばかりの男女を12週間ほど観察し、「運動が続いた人と続かなかった人にはどのような違いがあるのか？」を調べました。

分析の結果わかったのは、次のような傾向です。

- **週に4回以上ジムに行った人は、エクササイズが続く可能性がはねあがる**
- **週のジム通いが4回より少ない人は、エクササイズが続く可能性は大きく低下する**

どちらのグループも、調査開始から6週間目までは同じようにエクササイズが続く確率は高まったものの、それ以降に大きな違いが出ました。ジムの回数が週4回に満たないグループは12週間目にかけて再びエクササイズの継続率が低下したのに対し、週4回を超えたグループは6週目を過ぎても数字が上がり続けたのです。つまり、研究の要点はこうなります。

- **習慣が自動化されるには、最低でも週に4回は行う必要がある**
- **6週目までは徹底的に反復をしないと、それ以降はもとにもどる**

もちろん、この数字はエクササイズに限った話であり、複雑な習慣にはより多くの期間が必要になります。

とはいえ、複数の研究をざっくりまとめれば、たいていの行動は40〜60日も続ければ身につくとの平均値が出ています。とりあえずは「ひとつの習慣を週4回以上のペースで6〜8週間は行う」と考えておいてください。

MEMO

AWESOME FOCUS NOTEBOOK

6

Month 6

Monthly Schedule

年　　月

1. ターゲット

どうしても集中力が続かない作業のなかから、自分にとって最も重要なことを選んで書き込んでください。

2. 重要度チェック

上記の目標を達成しなければならない理由のうち、最も大事なものをひとつだけ選んで書き込んでください。

3. 具象イメージング

1で選んだ目標を、より具体的に、頭の中で映像を浮かべやすい内容に変えてください。

4. リバースプランニング

1で選んだ目標を「達成した未来」からさかのぼる形で、いくつかの短期目標を決めてください。

5. デイリータスク設定

4で決めた短期目標のなかから、もっとも締め切りが近いものを選び、それを達成するために毎日やるべきタスクを書き込んでください。

月 MONDAY	火 TUESDAY
【ルーティンチェック】	クリアしたら塗りつぶして

今月の注力ルーティン

水 WEDNESDAY	木 THURSDAY	金 FRIDAY	土 SATURDAY	日 SUNDAY

年　　月　　週目

	／　月 MONDAY	／　火 TUESDAY	／　水 WEDNESDAY
1. 睡眠時間記録	☽　時間　分	☽　時間　分	☽　時間　分
2. デイリータスク選択 デイリータスクのなかから、「今日中に手をつけねばならないこと」や「最長でも2、3時間で終わりそうなもの」を3つから5つ選んでください。			
3. 障害コントラスト 上記のデイリータスクを達成する際に、発生しそうなトラブルを書き出してください。			
4. 障害フィックス 3で書き出したトラブルに対して、あなたが取れそうな対策を考えて書き出しましょう。			
5. 質問型アクション 1で選んだデイリータスクについて、それぞれ次のフォーマットに変換してください。 [自分の名前]は、 [時間]に[場所]で [デイリータスク]をするか? 変換できたら今日の作業に取り掛かりましょう。 タスクが終わったら、かかった時間をそれぞれに書き足してください。			

/ 木 THURSDAY	/ 金 FRIDAY	/ 土 SATURDAY	/ 日 SUNDAY
時間　分	時間　分	時間　分	時間　分

年　　月　　週目

	／　月 MONDAY	／　火 TUESDAY	／　水 WEDNESDAY
1. 睡眠時間記録	☽　時間　分	☽　時間　分	☽　時間　分
2. デイリータスク選択 デイリータスクのなかから、「今日中に手をつけねばならないこと」や「最長でも2、3時間で終わりそうなもの」を3つから5つ選んでください。			
3. 障害コントラスト 上記のデイリータスクを達成する際に、発生しそうなトラブルを書き出してください。			
4. 障害フィックス 3で書き出したトラブルに対して、あなたが取れそうな対策を考えて書き出しましょう。			
5. 質問型アクション 1で選んだデイリータスクについて、それぞれ次のフォーマットに変換してください。 [自分の名前]は、 [時間]に[場所]で [デイリータスク]をするか？ 変換できたら今日の作業に取り掛かりましょう。 タスクが終わったら、かかった時間をそれぞれに書き足してください。			

／　木 THURSDAY	／　金 FRIDAY	／　土 SATURDAY	／　日 SUNDAY
時間　分	時間　分	時間　分	時間　分

年　　月　　週目

	／　月 MONDAY	／　火 TUESDAY	／　水 WEDNESDAY
1. 睡眠時間記録	時間　分	時間　分	時間　分
2. デイリータスク選択 デイリータスクのなかから、「今日中に手をつけねばならないこと」や「最長でも2、3時間で終わりそうなもの」を3つから5つ選んでください。			
3. 障害コントラスト 上記のデイリータスクを達成する際に、発生しそうなトラブルを書き出してください。			
4. 障害フィックス 3で書き出したトラブルに対して、あなたが取れそうな対策を考えて書き出しましょう。			
5. 質問型アクション 1で選んだデイリータスクについて、それぞれ次のフォーマットに変換してください。 [自分の名前]は、 [時間]に[場所]で [デイリータスク]をするか? 変換できたら今日の作業に取り掛かりましょう。 タスクが終わったら、かかった時間をそれぞれに書き足してください。			

/ 木 THURSDAY	/ 金 FRIDAY	/ 土 SATURDAY	/ 日 SUNDAY
時間 分	時間 分	時間 分	時間 分

年　　月　　週目

	／　月 MONDAY	／　火 TUESDAY	／　水 WEDNESDAY
1. 睡眠時間記録	☽　時間　分	☽　時間　分	☽　時間　分
2. デイリータスク選択 デイリータスクのなかから、「今日中に手をつけねばならないこと」や「最長でも2、3時間で終わりそうなもの」を3つから5つ選んでください。			
3. 障害コントラスト 上記のデイリータスクを達成する際に、発生しそうなトラブルを書き出してください。			
4. 障害フィックス 3で書き出したトラブルに対して、あなたが取れそうな対策を考えて書き出しましょう。			
5. 質問型アクション 1で選んだデイリータスクについて、それぞれ次のフォーマットに変換してください。 [自分の名前]は、 [時間]に[場所]で [デイリータスク]をするか？ 変換できたら今日の作業に取り掛かりましょう。 タスクが終わったら、かかった時間をそれぞれに書き足してください。			

/ 木 THURSDAY	/ 金 FRIDAY	/ 土 SATURDAY	/ 日 SUNDAY
時間　分	時間　分	時間　分	時間　分

年　　月　　週目

	／　月 MONDAY	／　火 TUESDAY	／　水 WEDNESDAY
1. 睡眠時間記録	時間　分	時間　分	時間　分
2. デイリータスク選択 デイリータスクのなかから、「今日中に手をつけねばならないこと」や「最長でも2、3時間で終わりそうなもの」を3つから5つ選んでください。			
3. 障害コントラスト 上記のデイリータスクを達成する際に、発生しそうなトラブルを書き出してください。			
4. 障害フィックス 3で書き出したトラブルに対して、あなたが取れそうな対策を考えて書き出しましょう。			
5. 質問型アクション 1で選んだデイリータスクについて、それぞれ次のフォーマットに変換してください。 [自分の名前]は、 [時間]に[場所]で [デイリータスク]をするか? 変換できたら今日の作業に取り掛かりましょう。 タスクが終わったら、かかった時間をそれぞれに書き足してください。			

／　木 THURSDAY	／　金 FRIDAY	／　土 SATURDAY	／　日 SUNDAY
時間　分	時間　分	時間　分	時間　分

Column 6 指示的セルフトーク

指示的セルフトークは、昔からスポーツの世界で集中力アップのために使われてきたテクニックです。

その効果については質の高いエビデンスがあり、32件の先行研究をまとめた2011年のメタ分析でも、パフォーマンスの向上に対して「d+ = 0.43」の効果量が認められています[15]。劇的な効果ではないものの、実生活で使うぶんには十分に意味がある数値です。

指示的セルフトークとは、名前のとおり「ひとりごと」を使って集中力アップを狙う技法です。集中したい動作をあらためて言葉にして、自分に質問や指示を投げかけるわけです。

- **勉強に使う場合「いま自分の勉強が止まったのは、どこがわからなくなったからだ？　問題を解く違うアプローチを考えてみろ！　どうしてもわからないままなら次の問題に移れ！」**
- **仕事に使う場合「この書類をもっとラクにこなすために、他に使えそうなリソースを探せないか？　取り組んでいる情報のなかで、本当に重要なものを見抜くように努力するんだ！」**

ここで重要なのは、「俺なら大丈夫！」や「今日は最高の調子だ！」のように、自分を持ち上げるようなセルフトークは使わないことです。このタイプのひとりごとは「意欲的セルフトーク」と呼ばれ、一時的に集中力を高める働きはあるものの、仕事や勉強といった複雑なタスクには向きません。

指示的セルフトークを使うときは、あくまで作業中にすべきことを言葉に変えるのがコツ。「この問題のポイントは？」「解法の手順は？」のように客観的な質問を使ってもいいですし、集中力が落ちたと思ったら「あと5分だけ続けよう！」や「もう1問だけ取り組んでみろ！」などと具体的に自分をはげますのも有効です。

もし良いセルフトークが思いつかないときは、以下のような質問を自分に投げかけてみてください。いずれの質問も、教育科学の世界で実際に学生の成績向上のために使われており、集中力を高める働きが確認されています[16]。

- なぜ集中力が落ちたのか？　作業が難しいからか？　それとも何かにジャマをされたからか？
- 自分は目の前の作業を楽しめているだろうか？　もし楽しめていないなら、その原因はなんだろうか？
- 目の前の作業を達成するために、他のリソースは使えないだろうか？　そのリソースを得るために何ができるだろうか？
- この作業でもっとも困難なポイントはどこだろうか？　困難なポイントに対して、違うアプローチはできないだろうか？
- もっとも理解ができないポイントはどこだろうか？
- 集中できない問題について、他者のサポートを受ける必要はあるだろうか？
- 自分がどこで悩んでいるのかは明確になっているだろうか？　明確でないなら、どうすればもっとクリアにできるだろうか？
- いまの作業の難易度は正しいだろうか？　難しすぎないだろうか？　それとも簡単すぎではないか？

これらの質問が効果的なのは、自分は決めたことを達成できる人間だという「新たな自己像」が脳に染み込むまでは、本能はすぐに昔のやり方にもどろうとするからです。使い慣れた手法にこだわりたくなるのは人類に共通の心理。いくら理性が「これが新しい自己像なのだ」と押しつけてみても、本能が納得しないうちはすぐにリバウンドが起こってしまいます。

そのため、しばらくのあいだは、問題が起きるたびに理性が本能に細かな指示を与え続けねばなりません。「正しい自己像に向かう道はこっちだ」と導くのです。この作業をくり返せば、やがて何もしなくとも本能が自動的に動き出します。それまでめげずにセルフトークを続けてみましょう。

MEMO

AWESOME FOCUS NOTEBOOK

Month 7

Monthly Schedule

年　　月

1. ターゲット

どうしても集中力が続かない作業のなかから、自分にとって最も重要なことを選んで書き込んでください。

2. 重要度チェック

上記の目標を達成しなければならない理由のうち、最も大事なものをひとつだけ選んで書き込んでください。

3. 具象イメージング

1で選んだ目標を、より具体的に、頭の中で映像を浮かべやすい内容に変えてください。

4. リバースプランニング

1で選んだ目標を「達成した未来」からさかのぼる形で、いくつかの短期目標を決めてください。

5. デイリータスク設定

4で決めた短期目標のなかから、もっとも締め切りが近いものを選び、それを達成するために毎日やるべきタスクを書き込んでください。

月 MONDAY	火 TUESDAY
【ルーティンチェック】	クリアしたら塗りつぶして

今月の注力ルーティン

水 WEDNESDAY	木 THURSDAY	金 FRIDAY	土 SATURDAY	日 SUNDAY

年　月　週目

	／　月 MONDAY	／　火 TUESDAY	／　水 WEDNESDAY
1. 睡眠時間記録	時間　分	時間　分	時間　分
2. デイリータスク選択 デイリータスクのなかから、「今日中に手をつけねばならないこと」や「最長でも2、3時間で終わりそうなもの」を3つから5つ選んでください。			
3. 障害コントラスト 上記のデイリータスクを達成する際に、発生しそうなトラブルを書き出してください。			
4. 障害フィックス 3で書き出したトラブルに対して、あなたが取れそうな対策を考えて書き出しましょう。			
5. 質問型アクション 1で選んだデイリータスクについて、それぞれ次のフォーマットに変換してください。 [自分の名前]は、 [時間]に[場所]で [デイリータスク]をするか？ 変換できたら今日の作業に取り掛かりましょう。 タスクが終わったら、かかった時間をそれぞれに書き足してください。			

／ 木 THURSDAY	／ 金 FRIDAY	／ 土 SATURDAY	／ 日 SUNDAY
時間 分	時間 分	時間 分	時間 分

年　　月　　週目

	／　月 MONDAY	／　火 TUESDAY	／　水 WEDNESDAY
1. 睡眠時間記録	時間　分	時間　分	時間　分
2. デイリータスク選択 デイリータスクのなかから、「今日中に手をつけねばならないこと」や「最長でも2、3時間で終わりそうなもの」を 3 つから5つ選んでください。			
3. 障害コントラスト 上記のデイリータスクを達成する際に、発生しそうなトラブルを書き出してください。			
4. 障害フィックス 3で書き出したトラブルに対して、あなたが取れそうな対策を考えて書き出しましょう。			
5. 質問型アクション 1で選んだデイリータスクについて、それぞれ次のフォーマットに変換してください。 [自分の名前]は、 [時間]に[場所]で [デイリータスク]をするか? 変換できたら今日の作業に取り掛かりましょう。 タスクが終わったら、かかった時間をそれぞれに書き足してください。			

／ 木 THURSDAY	／ 金 FRIDAY	／ 土 SATURDAY	／ 日 SUNDAY
時間 分	時間 分	時間 分	時間 分

年　　月　　週目

	／　月 MONDAY	／　火 TUESDAY	／　水 WEDNESDAY
1. 睡眠時間記録	時間　分	時間　分	時間　分
2. デイリータスク選択 デイリータスクのなかから、「今日中に手をつけねばならないこと」や「最長でも2、3時間で終わりそうなもの」を3つから5つ選んでください。			
3. 障害コントラスト 上記のデイリータスクを達成する際に、発生しそうなトラブルを書き出してください。			
4. 障害フィックス 3で書き出したトラブルに対して、あなたが取れそうな対策を考えて書き出しましょう。			
5. 質問型アクション 1で選んだデイリータスクについて、それぞれ次のフォーマットに変換してください。 [自分の名前]は、 [時間]に[場所]で [デイリータスク]をするか？ 変換できたら今日の作業に取り掛かりましょう。 タスクが終わったら、かかった時間をそれぞれに書き足してください。			

／ 木 THURSDAY	／ 金 FRIDAY	／ 土 SATURDAY	／ 日 SUNDAY
時間　分	時間　分	時間　分	時間　分

年　月　週目

	／　月 MONDAY	／　火 TUESDAY	／　水 WEDNESDAY
1. 睡眠時間記録	時間　分	時間　分	時間　分
2. デイリータスク選択 デイリータスクのなかから、「今日中に手をつけねばならないこと」や「最長でも2、3時間で終わりそうなもの」を3つから5つ選んでください。			
3. 障害コントラスト 上記のデイリータスクを達成する際に、発生しそうなトラブルを書き出してください。			
4. 障害フィックス 3で書き出したトラブルに対して、あなたが取れそうな対策を考えて書き出しましょう。			
5. 質問型アクション 1で選んだデイリータスクについて、それぞれ次のフォーマットに変換してください。 [自分の名前]は、 [時間]に[場所]で [デイリータスク]をするか？ 変換できたら今日の作業に取り掛かりましょう。 タスクが終わったら、かかった時間をそれぞれに書き足してください。			

／　木 THURSDAY	／　金 FRIDAY	／　土 SATURDAY	／　日 SUNDAY
時間　分	時間　分	時間　分	時間　分

年　　月　　週目

	／　月 MONDAY	／　火 TUESDAY	／　水 WEDNESDAY
1. 睡眠時間記録	時間　分	時間　分	時間　分
2. デイリータスク選択 デイリータスクのなかから、「今日中に手をつけねばならないこと」や「最長でも2、3時間で終わりそうなもの」を3つから5つ選んでください。			
3. 障害コントラスト 上記のデイリータスクを達成する際に、発生しそうなトラブルを書き出してください。			
4. 障害フィックス 3で書き出したトラブルに対して、あなたが取れそうな対策を考えて書き出しましょう。			
5. 質問型アクション 1で選んだデイリータスクについて、それぞれ次のフォーマットに変換してください。 [自分の名前]は、 [時間]に[場所]で [デイリータスク]をするか? 変換できたら今日の作業に取り掛かりましょう。 タスクが終わったら、かかった時間をそれぞれに書き足してください。			

／ 木 THURSDAY	／ 金 FRIDAY	／ 土 SATURDAY	／ 日 SUNDAY
時間 分	時間 分	時間 分	時間 分

Column 7

聖域づくり①
場所の管理

新しいスキルを身につけるための環境づくりを行いましょう。本能の注意をひきそうなものをあらかじめ排除し、仕事場をあなただけの「聖域」に作り変えるステップです。

まずやるべきは作業場のコントロールです。言うまでもなく、整理整頓ができていない職場や勉強部屋は、本能の注意を大きく分散させてしまいます。

床に置きっぱなしのマンガ、薬やタオルなどの日用品など、作業に不要なものはすべて本能の注意をひき、理性のパワーを弱めます。なかでも食欲と性欲にまつわるモノは本能の暴走につながりやすいため、徹底的に取り除いてください。

「1日のはじめには作業場を片づける」というデイリータスクを設定しておくのもいいでしょう。基本的に仕事場には、作業に使う資料以外にはなにもない状況が理想です。

以上を大前提として、その他のTIPSを紹介します。

専用スペースを用意する

部屋の整理と同時にやっておきたいのが、作業場の「専用スペース化」です。自分がやるべきタスクの種類によって、専用の作業エリアを用意してください。

いくつか例を挙げましょう。

- **勉強をするときはリビングルームだけで行う**
- **仕事をするときは自室のデスクだけで行う**
- **自宅で運動をするときはキッチンの近くだけで行う**

ひとつのタスクに特定のエリアを割り振ったら、その作業は必ず決めた場所だけで行うようにします。どうしても集中力が続かなくなったときは、いったんその場所から離れて別の場所で休憩するよう心がけましょう。

わざわざタスクごとに専用スペースを設けるのは、「ここは大事な作業をする場所なのだ」と本能に教え込むためです。人間の脳は「場所」と「情報」を結びつけて脳内のデータベースに記録する性質があり、何度も同じことをしている場所に行くと、自然といつもの行動を取ろうとします。

その効果は30年におよぶ研究で何度も確かめられており、学生を対象に行われた実験では、勉強専用のスペースで学習を行った被験者は、そうでないグループよりも成績が20～40%の範囲で向上しました[17]。本能が「この場所では勉強をするものなのだ」と覚えたおかげで、普段よりも感情が乱れにくくなったからです。

スペースをカスタマイズする

なかには、自宅に専用の部屋を用意するだけのスペースがなかったり、会社で特定の作業スペースしか提供されないケースも多いでしょう。特に現代のオフィスには問題が多く、空間が開けたような作業エリアでは、パーティションに囲われた仕事場より64%も気が散りやすいとのデータが出ています[18]。

このようなケースでは、作業エリアの「シンボル化」を行ってください。シンボル化とは、具体的に次のような行為を意味します。

- **パーティションや家具などで部屋をいくつかのブロックに分け、「この場所では勉強をする」「こちらではリラックスする」「ここでは読書をする」といったように、エリアごとに特定の機能を割り当てる**
- **会社の作業デスクを、同僚たちのデスクとハッキリ区別できるようなカスタマイズを行う（「同僚のデスクが汚いなら自分のデスクは徹底的に整理する」「自分しか使わないような特殊なノートや文具を配置する」など）。いったんカスタマイズを終えたら、自分のデスクで食事や仮眠などはせず、ただ仕事だけを行うように意識する**

いずれの手法でも「作業エリア」や「勉強エリア」が脳内でハッキリと区分けされるため、専用の部屋を用意したのと似た効果が生まれます。

MEMO

AWESOME FOCUS NOTEBOOK

8

Month 8

Monthly Schedule

年　　月

1. ターゲット

どうしても集中力が続かない作業のなかから、自分にとって最も重要なことを選んで書き込んでください。

2. 重要度チェック

上記の目標を達成しなければならない理由のうち、最も大事なものをひとつだけ選んで書き込んでください。

3. 具象イメージング

1で選んだ目標を、より具体的に、頭の中で映像を浮かべやすい内容に変えてください。

4. リバースプランニング

1で選んだ目標を「達成した未来」からさかのぼる形で、いくつかの短期目標を決めてください。

5. デイリータスク設定

4で決めた短期目標のなかから、もっとも締め切りが近いものを選び、それを達成するために毎日やるべきタスクを書き込んでください。

月 MONDAY	火 TUESDAY
【ルーティンチェック】	クリアしたら塗りつぶして

今月の注力ルーティン

水 WEDNESDAY	木 THURSDAY	金 FRIDAY	土 SATURDAY	日 SUNDAY

年　　月　　週目

	／　月 MONDAY	／　火 TUESDAY	／　水 WEDNESDAY
1. 睡眠時間記録	☽　時間　分	☽　時間　分	☽　時間　分
2. デイリータスク選択 デイリータスクのなかから、「今日中に手をつけねばならないこと」や「最長でも2、3時間で終わりそうなもの」を3つから5つ選んでください。			
3. 障害コントラスト 上記のデイリータスクを達成する際に、発生しそうなトラブルを書き出してください。			
4. 障害フィックス 3で書き出したトラブルに対して、あなたが取れそうな対策を考えて書き出しましょう。			
5. 質問型アクション 1で選んだデイリータスクについて、それぞれ次のフォーマットに変換してください。 [自分の名前]は、 [時間]に[場所]で [デイリータスク]をするか？ 変換できたら今日の作業に取り掛かりましょう。 タスクが終わったら、かかった時間をそれぞれに書き足してください。			

／ 木 THURSDAY	／ 金 FRIDAY	／ 土 SATURDAY	／ 日 SUNDAY
時間　分	時間　分	時間　分	時間　分

年　　　月　　　週目

	／　　月 MONDAY	／　　火 TUESDAY	／　　水 WEDNESDAY
1. 睡眠時間記録	時間　　分	時間　　分	時間　　分
2. デイリータスク選択 デイリータスクのなかから、「今日中に手をつけねばならないこと」や「最長でも2、3時間で終わりそうなもの」を3つから5つ選んでください。			
3. 障害コントラスト 上記のデイリータスクを達成する際に、発生しそうなトラブルを書き出してください。			
4. 障害フィックス 3で書き出したトラブルに対して、あなたが取れそうな対策を考えて書き出しましょう。			
5. 質問型アクション 1で選んだデイリータスクについて、それぞれ次のフォーマットに変換してください。 [自分の名前]は、 [時間]に[場所]で [デイリータスク]をするか? 変換できたら今日の作業に取り掛かりましょう。 タスクが終わったら、かかった時間をそれぞれに書き足してください。			

／　木 THURSDAY	／　金 FRIDAY	／　土 SATURDAY	／　日 SUNDAY
時間　分	時間　分	時間　分	時間　分

年　　月　　週目

	／　月 MONDAY	／　火 TUESDAY	／　水 WEDNESDAY
1. 睡眠時間記録	時間　分	時間　分	時間　分
2. デイリータスク選択 デイリータスクのなかから、「今日中に手をつけねばならないこと」や「最長でも2、3時間で終わりそうなもの」を3つから5つ選んでください。			
3. 障害コントラスト 上記のデイリータスクを達成する際に、発生しそうなトラブルを書き出してください。			
4. 障害フィックス 3で書き出したトラブルに対して、あなたが取れそうな対策を考えて書き出しましょう。			
5. 質問型アクション 1で選んだデイリータスクについて、それぞれ次のフォーマットに変換してください。 [自分の名前]は、 [時間]に[場所]で [デイリータスク]をするか? 変換できたら今日の作業に取り掛かりましょう。 タスクが終わったら、かかった時間をそれぞれに書き足してください。			

／ 木 THURSDAY	／ 金 FRIDAY	／ 土 SATURDAY	／ 日 SUNDAY
時間 分	時間 分	時間 分	時間 分

年　　月　　週目

	／　月 MONDAY	／　火 TUESDAY	／　水 WEDNESDAY
1. 睡眠時間記録	☽　時間　分	☽　時間　分	☽　時間　分
2. デイリータスク選択 デイリータスクのなかから、「今日中に手をつけねばならないこと」や「最長でも2、3時間で終わりそうなもの」を3つから5つ選んでください。			
3. 障害コントラスト 上記のデイリータスクを達成する際に、発生しそうなトラブルを書き出してください。			
4. 障害フィックス 3で書き出したトラブルに対して、あなたが取れそうな対策を考えて書き出しましょう。			
5. 質問型アクション 1で選んだデイリータスクについて、それぞれ次のフォーマットに変換してください。 [自分の名前]は、 [時間]に[場所]で [デイリータスク]をするか? 変換できたら今日の作業に取り掛かりましょう。 タスクが終わったら、かかった時間をそれぞれに書き足してください。			

／ 木 THURSDAY	／ 金 FRIDAY	／ 土 SATURDAY	／ 日 SUNDAY
時間 分	時間 分	時間 分	時間 分

年　　月　　週目

	／　月 MONDAY	／　火 TUESDAY	／　水 WEDNESDAY
1. 睡眠時間記録	☽　時間　分	☽　時間　分	☽　時間　分
2. デイリータスク選択 デイリータスクのなかから、「今日中に手をつけねばならないこと」や「最長でも2、3時間で終わりそうなもの」を3つから5つ選んでください。			
3. 障害コントラスト 上記のデイリータスクを達成する際に、発生しそうなトラブルを書き出してください。			
4. 障害フィックス 3で書き出したトラブルに対して、あなたが取れそうな対策を考えて書き出しましょう。			
5. 質問型アクション 1で選んだデイリータスクについて、それぞれ次のフォーマットに変換してください。 [自分の名前]は、 [時間]に[場所]で [デイリータスク]をするか? 変換できたら今日の作業に取り掛かりましょう。 タスクが終わったら、かかった時間をそれぞれに書き足してください。			

／ 木 THURSDAY	／ 金 FRIDAY	／ 土 SATURDAY	／ 日 SUNDAY
時間 分	時間 分	時間 分	時間 分

Column 8

聖域づくり②
デジタルの管理

現代において、デジタル機器が注意散漫の大きな原因になっていることは、言うまでもありません。近年の研究によれば、スマホの通知で私たちの集中力が切れるまでの時間はたったの2.8秒[19]。通知やポップアップを見た直後からあなたの認知機能は低下し、作業効率はなんと半分にまで下がってしまいます。デジタル環境のダメージをコントロールする方法を見ていきましょう。

専用のPCやスマホを用意する

ぜいたくを言えば、仕事用とプライベート用に、別々のＰＣやスマホを用意するのが理想です。仕事用の端末からは作業に関係ない「お気に入り」やアプリ、動画、書類などをすべて削除。逆にプライベート用の端末からは、仕事に関係するファイルやアプリをすべて取り除いてください。

その根拠は先ほど見た「スペースのカスタマイズ」と同じで、本能に「この端末は仕事専用なのだ」と認識させるためです。

ユーザーアカウントを切り分ける

新たな端末を用意できない場合は、１台のＰＣやAndroidスマホに複数のアカウントを作り、仕事用とプライベート用で使いわけてみましょう。

仕事用のアカウントからは不要なファイルにアクセスできないよう設定したうえで、本能がアカウントの種類をすぐ判別できるように、プライベート用のアカウントとはまったく違う壁紙に変えてください。と同時に、アカウント間を簡単に移動できないように、複雑なパスワードも設定しておきましょう。

スマホの魅力度を低下させる

iPhoneのように複数アカウントの作成が許可されていないスマホでは、また別の対策が必要になります。アカウントを切り替えられないのなら、スマホそのものの魅力度を低下させるしかありません。

その点でベストな対策は、友人やパートナーにスマホを渡し、「仕事が終わるまで預かっていてくれ」と頼むことです。そのような相手がいない場合は、押入れや戸棚の奥などのめんどうな場所にスマホを放り込みましょう。もちろん、電源はオフにしておいてください。

もし仕事でスマホを使わねばならないときは、あらかじめホーム画面から仕事に不要なアプリを取り除き、ほぼブランク状態に近づけておきます。特にゲームやＳＮＳなどのアプリはひとつのフォルダにまとめ、できるだけ後のページに配置しておくといいでしょう。

ここからさらにスマホの魅力度を下げたいなら、画面をモノクロに変えてしまうのも手です。iPhone の設定で「グレイスケール」をオンにすれば、すべての画面が白黒に変わります。

実際にやってみるとわかりますが、これだけでもスマホの魅力度は相当に下がります。本能は激しい色彩に強くひきつけられる性質を持つため、地味なモノクロの画面にはさほど反応しません[20]。

少し想像してみても、モノクロのゲームやインスタグラムをそこまで見たいとは思わないでしょう。日常的な依存を防ぐためにも、スマホのモノクロ化はおすすめです。

コンテンツブロッカーを使う

いくら仕事専用の端末を使っていても、どうしてもネットを使わねばならない場面は出てきます。このときに無制限でサイトにアクセスできるようでは、やはり集中力は削がれてしまうでしょう。

なかでも現代において避けるべきはニュースとＳＮＳです。

この問題を避けるには、当たり前ですが情報の摂取を減らすしかありません。

具体的には、「Freedom」などのコンテンツブロッカーを使うと、Windows PC や Mac、iPhone などの端末でニュースサイトやＳＮＳを遮断できます (https://freedom.to/downloads)。筆者の場合も、コンテンツブロッカーに主要なＳＮＳとニュースサイトを登録し、仕事開始から８時間はつなげないように設定しています。

MEMO

AWESOME FOCUS NOTEBOOK

Month 9

Monthly Schedule

年　　　月

1. ターゲット

どうしても集中力が続かない作業のなかから、自分にとって最も重要なことを選んで書き込んでください。

2. 重要度チェック

上記の目標を達成しなければならない理由のうち、最も大事なものをひとつだけ選んで書き込んでください。

3. 具象イメージング

1で選んだ目標を、より具体的に、頭の中で映像を浮かべやすい内容に変えてください。

4. リバースプランニング

1で選んだ目標を「達成した未来」からさかのぼる形で、いくつかの短期目標を決めてください。

5. デイリータスク設定

4で決めた短期目標のなかから、もっとも締め切りが近いものを選び、それを達成するために毎日やるべきタスクを書き込んでください。

月 MONDAY	火 TUESDAY
【ルーティンチェック】	クリアしたら塗りつぶして

今月の注力ルーティン

水 WEDNESDAY	木 THURSDAY	金 FRIDAY	土 SATURDAY	日 SUNDAY

年　　月　　週目

	／　月 MONDAY	／　火 TUESDAY	／　水 WEDNESDAY
1. 睡眠時間記録	時間　分	時間　分	時間　分
2. デイリータスク選択 デイリータスクのなかから、「今日中に手をつけねばならないこと」や「最長でも2、3時間で終わりそうなもの」を3つから5つ選んでください。			
3. 障害コントラスト 上記のデイリータスクを達成する際に、発生しそうなトラブルを書き出してください。			
4. 障害フィックス 3で書き出したトラブルに対して、あなたが取れそうな対策を考えて書き出しましょう。			
5. 質問型アクション 1で選んだデイリータスクについて、それぞれ次のフォーマットに変換してください。 [自分の名前]は、 [時間]に[場所]で [デイリータスク]をするか? 変換できたら今日の作業に取り掛かりましょう。 タスクが終わったら、かかった時間をそれぞれに書き足してください。			

／ 木 THURSDAY	／ 金 FRIDAY	／ 土 SATURDAY	／ 日 SUNDAY
☽ 時間 分	☽ 時間 分	☽ 時間 分	☽ 時間 分

年　　月　　週目

	／　月 MONDAY	／　火 TUESDAY	／　水 WEDNESDAY
1. 睡眠時間記録	時間　分	時間　分	時間　分
2. デイリータスク選択 デイリータスクのなかから、「今日中に手をつけねばならないこと」や「最長でも2、3時間で終わりそうなもの」を3つから5つ選んでください。			
3. 障害コントラスト 上記のデイリータスクを達成する際に、発生しそうなトラブルを書き出してください。			
4. 障害フィックス 3で書き出したトラブルに対して、あなたが取れそうな対策を考えて書き出しましょう。			
5. 質問型アクション 1で選んだデイリータスクについて、それぞれ次のフォーマットに変換してください。 [自分の名前]は、 [時間]に[場所]で [デイリータスク]をするか? 変換できたら今日の作業に取り掛かりましょう。 タスクが終わったら、かかった時間をそれぞれに書き足してください。			

／　木 THURSDAY	／　金 FRIDAY	／　土 SATURDAY	／　日 SUNDAY
時間　分	時間　分	時間　分	時間　分

年　月　週目

	／　月 MONDAY	／　火 TUESDAY	／　水 WEDNESDAY
1. 睡眠時間記録	時間　分	時間　分	時間　分
2. デイリータスク選択 デイリータスクのなかから、「今日中に手をつけねばならないこと」や「最長でも2、3時間で終わりそうなもの」を3つから5つ選んでください。			
3. 障害コントラスト 上記のデイリータスクを達成する際に、発生しそうなトラブルを書き出してください。			
4. 障害フィックス 3で書き出したトラブルに対して、あなたが取れそうな対策を考えて書き出しましょう。			
5. 質問型アクション 1で選んだデイリータスクについて、それぞれ次のフォーマットに変換してください。 [自分の名前]は、 [時間]に[場所]で [デイリータスク]をするか? 変換できたら今日の作業に取り掛かりましょう。 タスクが終わったら、かかった時間をそれぞれに書き足してください。			

／ 木 THURSDAY	／ 金 FRIDAY	／ 土 SATURDAY	／ 日 SUNDAY
時間　分	時間　分	時間　分	時間　分

年　　月　　週目

	／　月 MONDAY	／　火 TUESDAY	／　水 WEDNESDAY
1. 睡眠時間記録	時間　分	時間　分	時間　分
2. デイリータスク選択 デイリータスクのなかから、「今日中に手をつけねばならないこと」や「最長でも2、3時間で終わりそうなもの」を3つから5つ選んでください。			
3. 障害コントラスト 上記のデイリータスクを達成する際に、発生しそうなトラブルを書き出してください。			
4. 障害フィックス 3で書き出したトラブルに対して、あなたが取れそうな対策を考えて書き出しましょう。			
5. 質問型アクション 1で選んだデイリータスクについて、それぞれ次のフォーマットに変換してください。 [自分の名前]は、 [時間]に[場所]で [デイリータスク]をするか？ 変換できたら今日の作業に取り掛かりましょう。 タスクが終わったら、かかった時間をそれぞれに書き足してください。			

／ 木 THURSDAY	／ 金 FRIDAY	／ 土 SATURDAY	／ 日 SUNDAY
時間 分	時間 分	時間 分	時間 分

年　　月　　週目

	／　月 MONDAY	／　火 TUESDAY	／　水 WEDNESDAY
1. 睡眠時間記録	時間　分	時間　分	時間　分
2. デイリータスク選択 デイリータスクのなかから、「今日中に手をつけねばならないこと」や「最長でも2、3時間で終わりそうなもの」を3つから5つ選んでください。			
3. 障害コントラスト 上記のデイリータスクを達成する際に、発生しそうなトラブルを書き出してください。			
4. 障害フィックス 3で書き出したトラブルに対して、あなたが取れそうな対策を考えて書き出しましょう。			
5. 質問型アクション 1で選んだデイリータスクについて、それぞれ次のフォーマットに変換してください。 [自分の名前]は、 [時間]に[場所]で [デイリータスク]をするか? 変換できたら今日の作業に取り掛かりましょう。 タスクが終わったら、かかった時間をそれぞれに書き足してください。			

／　木 THURSDAY	／　金 FRIDAY	／　土 SATURDAY	／　日 SUNDAY
時間　分	時間　分	時間　分	時間　分

Column 9
感情を切り離す

集中力を高めるにあたって、「感情の切り離し」は必ず役に立つスキルです。

ついＳＮＳをチェックしたくなったときや、仕事が進まないイライラから逃げたくなったときなど、あなたの注意をそらす感情からいったん距離を置ければ、すみやかにもとの作業にもどることができます。

ここでは「メタ認知療法」や「ＡＣＴ」などの最先端の心理療法の世界で推奨される技法を２つだけご紹介します。

ムード・スコアリング

ムード・スコアリングは、大事な作業から注意がそれたときに、あなたの内面に起きた感情の変化をパーセンテージで採点するトレーニング法です。

たとえば､作業中にふと仕事とは関係ないサイトをチェックしたくなったら、次のように自分の内面を診断していきます。

「なんか退屈感がわいたせいでネットを見たくなってるなぁ。退屈感の強さは40％ぐらいかな。そういえば、退屈の他にも軽くイライラがあるみたいだ……。このイライラは20％ぐらいだな。あと、よく考えたら、奥の方に何だか『仕事を投げ出して逃げたい気持ち』もあるな。これは……10％ぐらいか？そんなことを考えてたら、イライラが減って10％ぐらいになったぞ」

このように、感情の変化をリアルタイムで実況してください。感情の強度が最高に強いときは100％で、何の感覚もないなら０％をつけましょう。

人間の集中力が乱れるときは、多かれ少なかれ必ず感情の変化が起きます。本能が目の前の作業に飽きたのか、それとも何か別の対象に興味を引かれたのかはわかりませんが、いずれにせよ感情のパワーであなたを別の方向に動かそうと試みている状態です。ここで何も対策を取らなければ、「退屈を感じた→ゲームをしよう」や「イライラした→お菓子でも食べよう」といったように、感情のままに行動してしまうでしょう。

が、ここでムード・スコアリングを使えば、自分の変化を客観的に見つめ

ることが可能になります。そのおかげで理性が感情から切り離され、引きずられずに済むのです。

感情の物質化

作業中になんらかの感情がわき上がったら、「いまの気分が物体だったらどのような感じだろう？」と考えてみるトレーニングです。

たとえば、仕事中にスマホを触りたくなったら、次のように感情を観察していきます。

「いまの感情はなんとなく濃いグレーで、みぞおちのあたりにテニスボールサイズの物体がおさまって細かく振動してる感じ……。あと首の付け根にも毛玉みたいな感情が埋め込まれているな……」

「もしも感情が物体だったら？」と想像しつつ、そのイメージを科学者のように見つめるのがこのテクニックのポイントです。うまくイメージできないときは、以下のような質問を自分に投げかけてみてください。

- その感情はどのような色をしているだろうか？
- その感情のサイズは？　豆ぐらい？　テニスボールサイズ？　ビルぐらい？
- その感情は、自分の体内のどのあたりに位置しているだろうか？　どれぐらいのスペースを取っているだろうか？
- その感情に触ったら、どのような感触がするだろうか？　硬い？　柔らかい？　ザラザラか？　なめらか？
- その感情はどれぐらいの温かさだろうか？　熱い？　冷たい？　室温？
- その感情に動きはあるだろうか？　振動している？　静止している？　脈打っている？　動いているとすれば、どれぐらいのスピードだろうか？

MEMO

AWESOME FOCUS NOTEBOOK

10

Month 10

Monthly Schedule

年　　月

1. ターゲット

どうしても集中力が続かない作業のなかから、自分にとって最も重要なことを選んで書き込んでください。

2. 重要度チェック

上記の目標を達成しなければならない理由のうち、最も大事なものをひとつだけ選んで書き込んでください。

3. 具象イメージング

1で選んだ目標を、より具体的に、頭の中で映像を浮かべやすい内容に変えてください。

4. リバースプランニング

1で選んだ目標を「達成した未来」からさかのぼる形で、いくつかの短期目標を決めてください。

5. デイリータスク設定

4で決めた短期目標のなかから、もっとも締め切りが近いものを選び、それを達成するために毎日やるべきタスクを書き込んでください。

月 MONDAY	火 TUESDAY
【ルーティンチェック】	クリアしたら塗りつぶして

今月の注力ルーティン ______________________

水 WEDNESDAY	木 THURSDAY	金 FRIDAY	土 SATURDAY	日 SUNDAY

年　月　週目

	／　月 MONDAY	／　火 TUESDAY	／　水 WEDNESDAY
1. 睡眠時間記録	時間　分	時間　分	時間　分
2. デイリータスク選択 デイリータスクのなかから、「今日中に手をつけねばならないこと」や「最長でも2、3時間で終わりそうなもの」を 3 つから5つ選んでください。			
3. 障害コントラスト 上記のデイリータスクを達成する際に、発生しそうなトラブルを書き出してください。			
4. 障害フィックス 3で書き出したトラブルに対して、あなたが取れそうな対策を考えて書き出しましょう。			
5. 質問型アクション 1で選んだデイリータスクについて、それぞれ次のフォーマットに変換してください。 [自分の名前]は、 [時間]に[場所]で [デイリータスク]をするか？ 変換できたら今日の作業に取り掛かりましょう。 タスクが終わったら、かかった時間をそれぞれに書き足してください。			

／ 木 THURSDAY	／ 金 FRIDAY	／ 土 SATURDAY	／ 日 SUNDAY
時間 分	時間 分	時間 分	時間 分

年　　月　　週目

	／　月 MONDAY	／　火 TUESDAY	／　水 WEDNESDAY
1. 睡眠時間記録	時間　分	時間　分	時間　分
2. デイリータスク選択 デイリータスクのなかから、「今日中に手をつけねばならないこと」や「最長でも2、3時間で終わりそうなもの」を3つから5つ選んでください。			
3. 障害コントラスト 上記のデイリータスクを達成する際に、発生しそうなトラブルを書き出してください。			
4. 障害フィックス 3で書き出したトラブルに対して、あなたが取れそうな対策を考えて書き出しましょう。			
5. 質問型アクション 1で選んだデイリータスクについて、それぞれ次のフォーマットに変換してください。 [自分の名前]は、 [時間]に[場所]で [デイリータスク]をするか？ 変換できたら今日の作業に取り掛かりましょう。 タスクが終わったら、かかった時間をそれぞれに書き足してください。			

／ 木 THURSDAY	／ 金 FRIDAY	／ 土 SATURDAY	／ 日 SUNDAY
時間　分	時間　分	時間　分	時間　分

年　　月　　週目

	／　月 MONDAY	／　火 TUESDAY	／　水 WEDNESDAY
1. 睡眠時間記録	☽　時間　分	☽　時間　分	☽　時間　分
2. デイリータスク選択 デイリータスクのなかから、「今日中に手をつけねばならないこと」や「最長でも2、3時間で終わりそうなもの」を3つから5つ選んでください。			
3. 障害コントラスト 上記のデイリータスクを達成する際に、発生しそうなトラブルを書き出してください。			
4. 障害フィックス 3で書き出したトラブルに対して、あなたが取れそうな対策を考えて書き出しましょう。			
5. 質問型アクション 1で選んだデイリータスクについて、それぞれ次のフォーマットに変換してください。 [自分の名前]は、 [時間]に[場所]で [デイリータスク]をするか？ 変換できたら今日の作業に取り掛かりましょう。 タスクが終わったら、かかった時間をそれぞれに書き足してください。			

／ 木 THURSDAY	／ 金 FRIDAY	／ 土 SATURDAY	／ 日 SUNDAY
時間 分	時間 分	時間 分	時間 分

年　　月　　週目

	／　月 MONDAY	／　火 TUESDAY	／　水 WEDNESDAY
1. 睡眠時間記録	時間　分	時間　分	時間　分
2. デイリータスク選択 デイリータスクのなかから、「今日中に手をつけねばならないこと」や「最長でも2、3時間で終わりそうなもの」を3つから5つ選んでください。			
3. 障害コントラスト 上記のデイリータスクを達成する際に、発生しそうなトラブルを書き出してください。			
4. 障害フィックス 3で書き出したトラブルに対して、あなたが取れそうな対策を考えて書き出しましょう。			
5. 質問型アクション 1で選んだデイリータスクについて、それぞれ次のフォーマットに変換してください。 [自分の名前]は、 [時間]に[場所]で [デイリータスク]をするか? 変換できたら今日の作業に取り掛かりましょう。 タスクが終わったら、かかった時間をそれぞれに書き足してください。			

／ 木 THURSDAY	／ 金 FRIDAY	／ 土 SATURDAY	／ 日 SUNDAY
時間 分	時間 分	時間 分	時間 分

年　月　週目

	／　月 MONDAY	／　火 TUESDAY	／　水 WEDNESDAY
1. 睡眠時間記録	☽　時間　分	☽　時間　分	☽　時間　分
2. デイリータスク選択 デイリータスクのなかから、「今日中に手をつけねばならないこと」や「最長でも2、3時間で終わりそうなもの」を3つから5つ選んでください。			
3. 障害コントラスト 上記のデイリータスクを達成する際に、発生しそうなトラブルを書き出してください。			
4. 障害フィックス 3で書き出したトラブルに対して、あなたが取れそうな対策を考えて書き出しましょう。			
5. 質問型アクション 1で選んだデイリータスクについて、それぞれ次のフォーマットに変換してください。 [自分の名前]は、 [時間]に[場所]で [デイリータスク]をするか？ 変換できたら今日の作業に取り掛かりましょう。 タスクが終わったら、かかった時間をそれぞれに書き足してください。			

／　木 THURSDAY	／　金 FRIDAY	／　土 SATURDAY	／　日 SUNDAY
時間　分	時間　分	時間　分	時間　分

Column 10

疲労とストレスを科学的にリセットする方法

疲労やストレスによる集中力の低下を防ぐために、ここから「科学的に正しく休む方法」をいくつか紹介していきます。実践しやすい順番に並べていくので、もし現時点で適切な休憩を取れていないなら、レベル１から少しずつ取り入れてみてください。

LEVEL 1 マイクロブレイク

「マイクロブレイク」は、数十秒から数分の休憩を細かく取る手法です。

ある研究では、被験者にＰＣのモニタを見つめ続ける作業を指示し、その合間にたった40秒だけ花と緑が写し出された自然の写真を見せたところ、作業への集中力が高いレベルで維持され、タスクのエラー率も大きく減ったとのこと[(21)]。もちろん肉体的なダメージを癒すには足りませんが、脳が感じた一時的なストレスを解くだけなら40秒でも効果は得られます。

もし脳になんらかの疲れを覚えたら、ちょっと自然の画像を見てリフレッシュするか、部屋の窓から大きな雲などを眺めてみてください。それだけでも、生産性の低下を防ぐことができます。

LEVEL 2 タスクブレイク

休憩が下手な人にありがちなのが、作業を止め、「ちょっと５分だけ」と思って手を出したスマホのゲームにのめりこみ、気づいたら30分が過ぎて仕事のやる気を失ってしまうようなパターンです。

心当たりがある方は、「タスクブレイク」を試してみてください。重要で難しい仕事の合間に、簡単なタスクをこなしてみるという方法です。

簡単なタスクの内容はなんでもありで、メールチェックをするもよし、業務のメッセージにスタンプを返すもよし、今後のスケジューリングをするもよし、プライベートで必要な日用品をネットで買うもよし。深く考えずにすぐに完了できそうな作業なら、「タスクブレイク」として使えます。

簡単なタスクには一時的に脳の回転数を落とす作用があり、これでもある程度まで理性の疲れを癒せます。と同時に、完全に本能を仕事から切り離すわけではないため、作業へのモチベーションも保つことができるわけです[22]。重要な作業を行う前に、簡単にできそうなタスクをいくつもリストアップしておくといいでしょう。

LEVEL 3 アクティブレスト

「アクティブレスト」は、軽く体を動かして脳をリフレッシュさせる方法です。休憩中に軽く散歩をする人は多いでしょうが、最近の研究では、どんなに軽い運動でも想像以上のメリットを得られることがわかってきました。

たとえば学生を対象にした実験では、最大心拍数の約30%という負荷で10分の運動を行っただけでも被験者の脳機能が改善し、認知テストの結果では集中力と記憶力に有意な向上が見られています[23]。

「最大心拍数の約30%」という負荷は、ほぼ普通のウォーキングと変わりません。このレベルの運動で集中力が上がる理由はハッキリしませんが、多くの研究者は血流アップと脳内ホルモンの変化が原因だと考えています。

LEVEL 4 ハイパー・アクティブブレイク

散歩よりもさらに激しい運動で脳を休ませるテクニックです。

マギル大学の実験データによれば、エアロバイクで15分のスプリントをした被験者は、その後で行った認知タスクの成績が大幅に改善したとのこと[24]。激しい運動には、かなりの集中力アップ効果があるようです。

このような現象が起きるのは、激しい運動が脳のメモリを解放してくれるからです。スプリントなどで心拍数の限界まで体を動かすと、誰でも難しいことは考えられなくなるでしょう。そのおかげで脳にたまったストレスが解き放たれ、結果として大きなリフレッシュ効果が生まれて、次のタスクへの集中力が上がるわけです。

運動の強度は、息が荒くなって会話ができないレベルを目指してください。この基準さえ満たせば、エクササイズの種類はなんでも構いません。

MEMO

AWESOME FOCUS NOTEBOOK

11

Month 11

Monthly Schedule

年　　　月

1. ターゲット

どうしても集中力が続かない作業のなかから、自分にとって最も重要なことを選んで書き込んでください。

2. 重要度チェック

上記の目標を達成しなければならない理由のうち、最も大事なものをひとつだけ選んで書き込んでください。

3. 具象イメージング

1で選んだ目標を、より具体的に、頭の中で映像を浮かべやすい内容に変えてください。

4. リバースプランニング

1で選んだ目標を「達成した未来」からさかのぼる形で、いくつかの短期目標を決めてください。

5. デイリータスク設定

4で決めた短期目標のなかから、もっとも締め切りが近いものを選び、それを達成するために毎日やるべきタスクを書き込んでください。

月 MONDAY	火 TUESDAY
【ルーティンチェック】	クリアしたら塗りつぶして

今月の注力ルーティン

水 WEDNESDAY	木 THURSDAY	金 FRIDAY	土 SATURDAY	日 SUNDAY

年　　月　　週目

	／　月 MONDAY	／　火 TUESDAY	／　水 WEDNESDAY
1. 睡眠時間記録	時間　分	時間　分	時間　分
2. デイリータスク選択 デイリータスクのなかから、「今日中に手をつけねばならないこと」や「最長でも2、3時間で終わりそうなもの」を3つから5つ選んでください。			
3. 障害コントラスト 上記のデイリータスクを達成する際に、発生しそうなトラブルを書き出してください。			
4. 障害フィックス 3で書き出したトラブルに対して、あなたが取れそうな対策を考えて書き出しましょう。			
5. 質問型アクション 1で選んだデイリータスクについて、それぞれ次のフォーマットに変換してください。 [自分の名前]は、 [時間]に[場所]で [デイリータスク]をするか？ 変換できたら今日の作業に取り掛かりましょう。 タスクが終わったら、かかった時間をそれぞれに書き足してください。			

／ 木 THURSDAY	／ 金 FRIDAY	／ 土 SATURDAY	／ 日 SUNDAY
時間 分	時間 分	時間 分	時間 分

年　　月　　週目

	／　月 MONDAY	／　火 TUESDAY	／　水 WEDNESDAY
1. 睡眠時間記録	時間　分	時間　分	時間　分
2. デイリータスク選択 デイリータスクのなかから、「今日中に手をつけねばならないこと」や「最長でも2、3時間で終わりそうなもの」を3つから5つ選んでください。			
3. 障害コントラスト 上記のデイリータスクを達成する際に、発生しそうなトラブルを書き出してください。			
4. 障害フィックス 3で書き出したトラブルに対して、あなたが取れそうな対策を考えて書き出しましょう。			
5. 質問型アクション 1で選んだデイリータスクについて、それぞれ次のフォーマットに変換してください。 [自分の名前]は、 [時間]に[場所]で [デイリータスク]をするか? 変換できたら今日の作業に取り掛かりましょう。 タスクが終わったら、かかった時間をそれぞれに書き足してください。			

／　木 THURSDAY	／　金 FRIDAY	／　土 SATURDAY	／　日 SUNDAY
時間　分	時間　分	時間　分	時間　分

年　月　週目

	／ 月 MONDAY	／ 火 TUESDAY	／ 水 WEDNESDAY
1. 睡眠時間記録	時間　分	時間　分	時間　分
2. デイリータスク選択 デイリータスクのなかから、「今日中に手をつけねばならないこと」や「最長でも2、3時間で終わりそうなもの」を3つから5つ選んでください。			
3. 障害コントラスト 上記のデイリータスクを達成する際に、発生しそうなトラブルを書き出してください。			
4. 障害フィックス 3で書き出したトラブルに対して、あなたが取れそうな対策を考えて書き出しましょう。			
5. 質問型アクション 1で選んだデイリータスクについて、それぞれ次のフォーマットに変換してください。 [自分の名前]は、 [時間]に[場所]で [デイリータスク]をするか? 変換できたら今日の作業に取り掛かりましょう。 タスクが終わったら、かかった時間をそれぞれに書き足してください。			

／ 木 THURSDAY	／ 金 FRIDAY	／ 土 SATURDAY	／ 日 SUNDAY
時間　分	時間　分	時間　分	時間　分

年　　月　　週目

	／　月 MONDAY	／　火 TUESDAY	／　水 WEDNESDAY
1. 睡眠時間記録	時間　分	時間　分	時間　分
2. デイリータスク選択 デイリータスクのなかから、「今日中に手をつけねばならないこと」や「最長でも2、3時間で終わりそうなもの」を3つから5つ選んでください。			
3. 障害コントラスト 上記のデイリータスクを達成する際に、発生しそうなトラブルを書き出してください。			
4. 障害フィックス 3で書き出したトラブルに対して、あなたが取れそうな対策を考えて書き出しましょう。			
5. 質問型アクション 1で選んだデイリータスクについて、それぞれ次のフォーマットに変換してください。 [自分の名前]は、 [時間]に[場所]で [デイリータスク]をするか? 変換できたら今日の作業に取り掛かりましょう。 タスクが終わったら、かかった時間をそれぞれに書き足してください。			

／ 木 THURSDAY	／ 金 FRIDAY	／ 土 SATURDAY	／ 日 SUNDAY
時間 分	時間 分	時間 分	時間 分

年　　月　　週目

	／　月 MONDAY	／　火 TUESDAY	／　水 WEDNESDAY
1. 睡眠時間記録	☽　時間　分	☽　時間　分	☽　時間　分
2. デイリータスク選択 デイリータスクのなかから、「今日中に手をつけねばならないこと」や「最長でも2、3時間で終わりそうなもの」を3つから5つ選んでください。			
3. 障害コントラスト 上記のデイリータスクを達成する際に、発生しそうなトラブルを書き出してください。			
4. 障害フィックス 3で書き出したトラブルに対して、あなたが取れそうな対策を考えて書き出しましょう。			
5. 質問型アクション 1で選んだデイリータスクについて、それぞれ次のフォーマットに変換してください。 [自分の名前]は、 [時間]に[場所]で [デイリータスク]をするか？ 変換できたら今日の作業に取り掛かりましょう。 タスクが終わったら、かかった時間をそれぞれに書き足してください。			

／ 木 THURSDAY	／ 金 FRIDAY	／ 土 SATURDAY	／ 日 SUNDAY
時間 分	時間 分	時間 分	時間 分

Column 11 米軍式快眠エクササイズ

ストレスや疲労の回復には質の良い睡眠が必須。基本的に、睡眠不足による集中力の低下は、しっかりと眠り直すことでしかリカバーできません。日中の眠気が原因で作業に集中できないときは、毎晩の睡眠を見直すのはもちろん、せめて30分の昼寝をしてダメージを回復させてください。

さて、睡眠の改善法は類書でも広く扱われているため、ここでは「米軍式快眠エクササイズ」だけをご紹介します。その名のとおり米軍がパイロットのメンタル改善用に開発したテクニックで、スポーツ心理学の知見をベースに組み立てられたものです(25)。

米軍の実験では、この方法を使ったパイロットのうち、96%が120秒以内に眠れるようになったというから驚くべき成果です。夜中にぐっすり眠れない人や、昼寝が苦手な人などはぜひ試してみてください。

STEP 1 顔リリース

イスに座るかベッドに横たわってリラックスしたら、まずは顔のパーツに意識を向けていきます。ゆっくり呼吸をしながら、次の順番で顔の筋肉をゆるめていってください。

おでこ→眉間→こめかみ→目の周り→頬→口の周り→あご

筋肉の力を抜く感覚がわからないときは、いったん各パーツに思いっきり力を込めてから、ふっと弛緩させてみましょう。特に目の周りの筋肉はリラックスが難しいので、眼球が頭の奥に沈み込んでいくようなイメージを浮かべるとやりやすいはずです。

STEP 2 肩リリース

顔の次は肩の力を抜きます。肩が生命を失って地中に沈み込んでいくようなイメージを浮かべつつ、ダラリと力を抜くのがポイント。ゆっくり呼吸しながら、肩の力をゆるめてください。

STEP 3 腕リリース

次は腕に意識を向けましょう。肩と同じように両腕が地中に沈み込むイメージで、力を抜いていきます。なかなか力みが取れなければ、いったん手をギュッと握ってから開いてみましょう。腕をゆるめた後は、手のひらや指からも同じように力を抜いて終了です。

STEP 4 足リリース

足も同じように力を抜いていきます。両足が床に沈み込む様子をイメージし、足の自重が地面を押すに任せてください。こちらでも、力みが取れないときは、いったん足全体に力を込めてからゆるめましょう。

STEP 5 思考リリース

最後に10秒だけ「何も考えない」時間を作ります。

本能はネガティブな思考に弱いため、明日の仕事や過去に起きた嫌な体験などが頭に浮かぶだけでも筋肉に力が入ってしまいます。これを防ぐために、10秒だけ思考を遮断してください。

どうしても頭のなかにネガティブな思考がめぐってしまう時は、以下のようなテクニックを使うのが有効です。

- **「考えるな、考えるな」と10秒だけ頭のなかでくり返す**
- **静かな湖畔でカヌーに乗り、青空をボーッと見ているイメージを浮かべる**
- **暗い部屋でハンモックに揺られている様子をイメージする**

これでエクササイズは終了です。

もし最後のステップで眠りに入れなかったときは、気にせず最初の手順からくり返してください。何度かエクササイズを行ううちに、体の緊張が解ける感覚がつかめるようになり、睡眠の質も上がっていくはずです。

MEMO

AWESOME FOCUS NOTEBOOK

12

Month 12

Monthly Schedule

年　　月

1. ターゲット

どうしても集中力が続かない作業のなかから、自分にとって最も重要なことを選んで書き込んでください。

2. 重要度チェック

上記の目標を達成しなければならない理由のうち、最も大事なものをひとつだけ選んで書き込んでください。

3. 具象イメージング

1で選んだ目標を、より具体的に、頭の中で映像を浮かべやすい内容に変えてください。

4. リバースプランニング

1で選んだ目標を「達成した未来」からさかのぼる形で、いくつかの短期目標を決めてください。

5. デイリータスク設定

4で決めた短期目標のなかから、もっとも締め切りが近いものを選び、それを達成するために毎日やるべきタスクを書き込んでください。

月 MONDAY	火 TUESDAY
【ルーティンチェック】	クリアしたら塗りつぶして

今月の注力ルーティン

水 WEDNESDAY	木 THURSDAY	金 FRIDAY	土 SATURDAY	日 SUNDAY

年　　月　　週目

	／　月 MONDAY	／　火 TUESDAY	／　水 WEDNESDAY
1. 睡眠時間記録	時間　分	時間　分	時間　分
2. デイリータスク選択 デイリータスクのなかから、「今日中に手をつけねばならないこと」や「最長でも2、3時間で終わりそうなもの」を3つから5つ選んでください。			
3. 障害コントラスト 上記のデイリータスクを達成する際に、発生しそうなトラブルを書き出してください。			
4. 障害フィックス 3で書き出したトラブルに対して、あなたが取れそうな対策を考えて書き出しましょう。			
5. 質問型アクション 1で選んだデイリータスクについて、それぞれ次のフォーマットに変換してください。 [自分の名前]は、 [時間]に[場所]で [デイリータスク]をするか？ 変換できたら今日の作業に取り掛かりましょう。 タスクが終わったら、かかった時間をそれぞれに書き足してください。			

／ 木 THURSDAY	／ 金 FRIDAY	／ 土 SATURDAY	／ 日 SUNDAY
時間 分	時間 分	時間 分	時間 分

年　　月　　週目

	／ 月 MONDAY	／ 火 TUESDAY	／ 水 WEDNESDAY
1. 睡眠時間記録	☽ 時間　分	☽ 時間　分	☽ 時間　分
2. デイリータスク選択 デイリータスクのなかから、「今日中に手をつけねばならないこと」や「最長でも2、3時間で終わりそうなもの」を3つから5つ選んでください。			
3. 障害コントラスト 上記のデイリータスクを達成する際に、発生しそうなトラブルを書き出してください。			
4. 障害フィックス 3で書き出したトラブルに対して、あなたが取れそうな対策を考えて書き出しましょう。			
5. 質問型アクション 1で選んだデイリータスクについて、それぞれ次のフォーマットに変換してください。 [自分の名前]は、 [時間]に[場所]で [デイリータスク]をするか? 変換できたら今日の作業に取り掛かりましょう。 タスクが終わったら、かかった時間をそれぞれに書き足してください。			

／　木 THURSDAY	／　金 FRIDAY	／　土 SATURDAY	／　日 SUNDAY
時間　分	時間　分	時間　分	時間　分

年　　　月　　　週目

	／　月 MONDAY	／　火 TUESDAY	／　水 WEDNESDAY
1. 睡眠時間記録	時間　分	時間　分	時間　分
2. デイリータスク選択 デイリータスクのなかから、「今日中に手をつけねばならないこと」や「最長でも2、3時間で終わりそうなもの」を3つから5つ選んでください。			
3. 障害コントラスト 上記のデイリータスクを達成する際に、発生しそうなトラブルを書き出してください。			
4. 障害フィックス 3で書き出したトラブルに対して、あなたが取れそうな対策を考えて書き出しましょう。			
5. 質問型アクション 1で選んだデイリータスクについて、それぞれ次のフォーマットに変換してください。 [自分の名前]は、 [時間]に[場所]で [デイリータスク]をするか？ 変換できたら今日の作業に取り掛かりましょう。 タスクが終わったら、かかった時間をそれぞれに書き足してください。			

／ 木 THURSDAY	／ 金 FRIDAY	／ 土 SATURDAY	／ 日 SUNDAY
時間 分	時間 分	時間 分	時間 分

年　月　週目

	／　月 MONDAY	／　火 TUESDAY	／　水 WEDNESDAY
1. 睡眠時間記録	時間　分	時間　分	時間　分
2. デイリータスク選択 デイリータスクのなかから、「今日中に手をつけねばならないこと」や「最長でも2、3時間で終わりそうなもの」を3つから5つ選んでください。			
3. 障害コントラスト 上記のデイリータスクを達成する際に、発生しそうなトラブルを書き出してください。			
4. 障害フィックス 3で書き出したトラブルに対して、あなたが取れそうな対策を考えて書き出しましょう。			
5. 質問型アクション 1で選んだデイリータスクについて、それぞれ次のフォーマットに変換してください。 [自分の名前]は、 [時間]に[場所]で [デイリータスク]をするか? 変換できたら今日の作業に取り掛かりましょう。 タスクが終わったら、かかった時間をそれぞれに書き足してください。			

／ 木 THURSDAY	／ 金 FRIDAY	／ 土 SATURDAY	／ 日 SUNDAY
時間 分	時間 分	時間 分	時間 分

年　　月　　週目

	／　月 MONDAY	／　火 TUESDAY	／　水 WEDNESDAY
1. 睡眠時間記録	時間　分	時間　分	時間　分
2. デイリータスク選択 デイリータスクのなかから、「今日中に手をつけねばならないこと」や「最長でも2、3時間で終わりそうなもの」を3つから5つ選んでください。			
3. 障害コントラスト 上記のデイリータスクを達成する際に、発生しそうなトラブルを書き出してください。			
4. 障害フィックス 3で書き出したトラブルに対して、あなたが取れそうな対策を考えて書き出しましょう。			
5. 質問型アクション 1で選んだデイリータスクについて、それぞれ次のフォーマットに変換してください。 [自分の名前]は、 [時間]に[場所]で [デイリータスク]をするか? 変換できたら今日の作業に取り掛かりましょう。 タスクが終わったら、かかった時間をそれぞれに書き足してください。			

／ 木 THURSDAY	／ 金 FRIDAY	／ 土 SATURDAY	／ 日 SUNDAY
時間 分	時間 分	時間 分	時間 分

参考文献

1. Andrew M. Carton, Chad Murphy, and Jonathan R. Clark (2014) A (Blurry) Vision of the Future: How Leader Rhetoric About Ultimate Goals Influences Performance

2. Jooyoung Park, Fang-Chi Lu, and William M. Hedgcock (2017) Relative Effects of Forward and Backward Planning on Goal Pursuit

3. Anton Gollwitzer, Gabriele Oettingen, Teri A. Kirby, Angela Lee Duckworth, and Doris Mayer (2011) Mental Contrasting Facilitates Academic Performance in School Children

   Angela Lee Duckworth, Heidi Grant, Benjamin Loew, Gabriele Oettingen, and Peter M. Gollwitzer (2011) Self-Regulation Strategies Improve Self-Discipline in Adolescents: Benefits of Mental Contrasting and Implementation Intentions

4. Heather Barry Kappes and Gabriele Oettingen (2011) Positive Fantasies About Idealized Futures Sap Energy

5. Eric R. Spangenberg, Ioannis Kareklas, Berna Devezer, and David E. Sprott (2016) A Meta-Analytic Synthesis of the Question-Behavior Effect

6. Peter M. Gollwitzer and Paschal Sheeran (2006) Implementation Intentions and Goal Achievement: A Meta-Analysis of Effects and Processes

7. Martha Clare Morris, Christy C. Tangney, Yamin Wang, Frank M. Sacks, David A. Bennett, and Neelum T. Aggarwal (2015) MIND Diet Associated with Reduced Incidence of Alzheimer's Disease

8. Diwas S. KC, Bradley R. Staats, Maryam Kouchaki, and Francesca Gino (2017) Task Selection and Workload: A Focus on Completing Easy Tasks Hurts Long-Term Performance

9. Megan Oaten and Ken Cheng (2007) Improvements in Self-Control from Financial Monitoring

10. Benjamin Harkin, Thomas L. Webb, Betty P. I. Chang, Andrew Prestwich, Mark Conner, Ian Kellar, Yael Benn, and Paschal Sheeran (2016) Does Monitoring Goal Progress Promote Goal Attainment? A Meta-Analysis of the Experimental Evidence

11. Mark Muraven, Roy F. Baumeister, and Dianne M. Tice (1999) Longitudinal Improvement of Self-Regulation Through Practice: Building Self-Control Strength Through Repeated Exercise

12. Jianxin Wang, Yulei Rao, and Daniel E. Houser (2016) An Experimental Analysis of Acquired Impulse Control Among Adult Humans Intolerant to Alcohol

13. BJ Fogg(2019)Tiny Habits: The Small Changes That Change Everything

14. Navin Kaushal and Ryan E. Rhodes (2015) Exercise Habit Formation in New Gym Members: A Longitudinal Study

15. Antonis Hatzigeorgiadis, Nikos Zourbanos, Evangelos Galanis, and Yiannis Theodorakis (2011) Self-Talk and Sports Performance: A Meta-Analysis

16. Kimberly D. Tanner (2012) Promoting Student Metacognition
※質問内容は作者が一部改変

17. Frederick G. Lopez and Cathrine A. Wambach (1982) Effects of Paradoxical and Self-Control Directives in Counseling

Gregg Mulry, Raymond Fleming, and Ann C. Gottschalk (1994) Psychological Reactance and Brief Treatment of Academic Procrastination

18. Laura Dabbish, Gloria Mark, and Victor Gonzalez (2011) Why Do I Keep Interrupting Myself?: Environment, Habit and Self-Interruption

19. Erik M. Altmann, J. Gregory Trafton, and David Z. Hambrick (2014) Momentary Interruptions Can Derail the Train of Thought

20. Ravi Mehta and Rui (Juliet) Zhu (2009) Blue or Red? Exploring the Effect of Color on Cognitive Task Performances

21. Kate E. Lee, Kathryn J. H. Williams, Leisa D. Sargent, Nicholas S. G. Williams, and Katherine A. Johnson (2015) 40-Second Green Roof Views Sustain Attention: The Role of Micro-Breaks in Attention Restoration

22. Magdalena M. H. E. van den Berg, Jolanda Maas, Rianne Muller, Anoek Braun, Wendy Kaandorp, René van Lien, Mireille N. M. van Poppel, Willem van Mechelen, and Agnes E. van den Berg (2015) Autonomic Nervous System Responses to Viewing Green and Built Settings: Differentiating Between Sympathetic and Parasympathetic Activity

23. Kazuya Suwabe, Kyeongho Byun, Kazuki Hyodo, Zachariah M. Reagh, Jared M. Roberts, Akira Matsushita, Kousaku Saotome, Genta Ochi, Takemune Fukuie, Kenji Suzuki, Yoshiyuki Sankai, Michael A. Yassa, and Hideaki Soya (2018) Rapid Stimulation of Human Dentate Gyrus Function with Acute Mild Exercise

24. Fabien Dal Maso, Bennet Desormeau, Marie-Hélène Boudrias, and Marc Roig (2018) Acute Cardiovascular Exercise Promotes Functional Changes in Cortico-Motor Networks During the Early Stages of Motor Memory Consolidation

25. Bud Winter and Jimson Lee (2012) Relax and Win: Championship Performance in Whatever You Do

Profile
鈴木 祐（すずき・ゆう）

新進気鋭のサイエンスライター。1976年生まれ、慶應義塾大学SFC卒業後、出版社勤務を経て独立。10万本の科学論文の読破と600人を超える海外の学者や専門医へのインタビューを重ねながら、現在はヘルスケアや生産性向上をテーマとした書籍や雑誌の執筆を手がける。自身のブログ「パレオな男」で心理、健康、科学に関する最新の知見を紹介し続け、月間250万PVを達成。近年はヘルスケア企業などを中心に、科学的なエビデンスの見分け方などを伝える講演なども行っている。著書に『最高の体調』『科学的な適職』（クロスメディア・パブリッシング）、『ヤバい集中力』（SBクリエイティブ）他多数。

365日ブッ通しでパフォーマンスが神がかる

ヤバイ集中力ノート

2020年4月19日　初版第1刷発行

著　者	鈴木 祐
発行者	小川 淳
発行所	SBクリエイティブ株式会社 〒106-0032　東京都港区六本木2-4-5 電話：03-5549-1201（営業部）

カバーデザイン	金澤 浩二
本文デザイン／DTP	安賀 裕子
カバーイラスト	牛木 匡憲
編集担当	長谷川 諒
印刷・製本	中央精版印刷株式会社

本書をお読みになったご意見・ご感想を下記URL、QRコードよりお寄せください。
▶https://isbn2.sbcr.jp/05186/

落丁本、乱丁本は小社営業部にてお取り替えいたします。定価はカバーに記載されております。本書の内容に関するご質問等は、小社学芸書籍編集部まで必ず書面にてご連絡いただきますようお願いいたします。

　ISBN978-4-8156-0518-6